# 六朝门阀

## 太原王氏家系考

[日]守屋美都雄 著
梁辰雪 译

中西書局

**图书在版编目(CIP)数据**

六朝门阀：太原王氏家系考／（日）守屋美都雄著；梁辰雪译.—上海：中西书局，2020（2024.5 重印）
ISBN 978-7-5475-1662-1

Ⅰ.①六… Ⅱ.①守… ②梁… Ⅲ.①氏族谱系—研究—太原—六朝时代 Ⅳ.①K820.9

中国版本图书馆 CIP 数据核字(2019)第 289193 号

# 六朝门阀——太原王氏家系考

**[日]守屋美都雄 著 梁辰雪 译**

| | |
|---|---|
| 责任编辑 | 吴志宏 |
| 装帧设计 | 梁业礼 |
| 出版发行 | 上海世纪出版集团<br>®中西書局(www.zxpress.com.cn) |
| 地　　址 | 上海市闵行区号景路 159 弄 B 座(邮政编码：201101) |
| 印　　刷 | 上海展强印刷有限公司 |
| 开　　本 | 787×1092 毫米 1/32 |
| 印　　张 | 7.125 |
| 字　　数 | 110 000 |
| 版　　次 | 2020 年 1 月第 1 版 2024 年 5 月第 3 次印刷 |
| 书　　号 | ISBN 978-7-5475-1662-1/ K·329 |
| 定　　价 | 42.00 元 |

# 目录

# 著者的话

中国家族的研究，在社会学、法制史、中国哲学等领域都已经有所进展，但东洋史方面的研究方法，尚未完全确立。当然，要理解家族的实际情况，不能强行将问题局限于某一领域，必须从各个角度进行综合的考察。东洋史研究者的责任在于，在目前研究的基础上引入动态的观察视角。我所做的系谱研究，正是基于这样的反思。

研究之初，我的兴趣集中于寻找《新唐书·宰相世系表》中的记载错误，揭露通谱中的作伪之处。但是在研究的过程中，我的想法逐渐发生了改变。较之于这种寻求自我满足式的研究，更应该思考的是系谱扩大、缩小甚至作伪背后的原因。虽然作为研究对象的是一个家族，但我的目标是探索历史发展的全貌。

近来我发现，这种研究方法同样适用于本书探讨对象之外的家族，又深感分析唐末五代情况的必要性。决定先出版这一尚不成熟的研究，主要基于以下两点考虑：一是希望在进行下一步工作之前能够得到学界同仁的批评和建议，二是受到科研经费资助的研究也有提交报告的义务。由于书中繁杂的考证较多，建议读者在第一章之后先阅读第七章和第八章，再回到前面的章节，可能会更加易于理解。

我一直苦于这样内容贫乏而篇幅冗长的论文应于何处发表，有幸作为东洋大学学术丛书的一种出版，首先要向东洋大学以及橘高伦一、长寿吉两位先生表示谢意。其次要感谢写作英文摘要的濑川重礼先生。最后向日本出版协同株式会社致以谢意，感谢他们愿意出版这样小众的图书。

大学时代到现在，在我蹒跚前进的过程中，不断给予我指导与鼓励的池内宏、和田清两位老师及诸位前辈的教诲，时至今日更深感可贵。空袭那年的春天，在梅花盛开的伊豆市加殿，我曾拜访现已过世的加藤繁先生，从先生那里获得了对这篇论文的意见，至今十分怀念。

同样无法忘记昭和 18 年(1943)的秋天，在北京图书馆一面翻阅《北平图书馆藏碑目》(1941 年开明书局印)，一面抄写墓志铭的时光。那时多蒙旗田巍和内田智雄关照，两位回国后也多有建树，颇为可喜，只是那三千四百余通墓志铭如今怎么样了呢？真希望在那守门老人终日盘玩预防中风的掌珠的安静阅览室里，再次抄写那些碑文。只盼这一天能够早日到来。

昭和 26 年(1951)6 月 11 日

守屋美都雄

第一章

# 序　言

本书希望通过对六朝至隋唐门阀盛衰的研究，把握这一时代的家族问题，并在家族层面上厘清六朝门阀制向唐宋官僚制变化的过程。

由个人集合构成的家族，同时也是构成村落和国家的基础单位。因此在把握家族的动态时，不能将家族从其他社会关系中割裂开来。必须将家族置于个人、村落、国家等背景之中，才能看到其实际形态。

作为实现这一研究目标的具体方法，我将选取从六朝延续至唐代的一个名族，系统追溯这一家族的变化。为此，首先要尝试复原正确的谱系图，①并据此分析家族盛衰的阶段，将家族盛衰的缘由置于时代的变化中予以考察。其次希望分析的是：构成这一系谱的个人，在

---

① 关于这一时期郡望系谱制作的重要性，宫川尚志氏在《北朝に於ける貴族制度》[《東洋史研究》8(4)]中指出“中国中世，尤其是六朝家族制研究的基础，应该是郡望系谱的制作”。

怎样的范围内，有着怎样程度的联结，这种联结又是为应对各个时代的何种不同需求而产生的？最后希望辨明家族本籍与现住地的关系，尤其是家族迁徙对家族命运所带来的影响。以上这些是本书最主要的目标。

当然，只要以门阀为考察对象，选取的家族就仅限于特定的贵族阶层。如果将研究的结论推之于普通民众的家族，则是不恰当的。

但退一步而言，《红楼梦》、《金瓶梅》虽只是描写特殊的商人与贵族之家，也让我们了解了中国家族整体的共通法则。新小说《大地》和《家》也是如此。如果这样考虑的话，对一个门阀的研究，于发现中国家族整体的共通法则并非没有助益。

那应该选取哪个家族作为研究对象呢？首先要说明选定这一家族的缘由。

南朝宋刘义庆撰《世说新语·赏誉篇第八》中记载："吴四姓旧目云：张文、朱武、陆忠、顾厚。"同条注："《吴录士林》曰：吴郡有顾、陆、朱、张为四姓。三国之间，四姓盛焉。"宋代王应麟在《小学绀珠》卷7《氏族类》中引用《世说新语》，列举了会稽四族孔、魏、虞、谢，同条又引《吴录》，列举了陈、桓、吕、窦、公孙、司马、徐、傅等吴地八姓。《魏志》卷13《王朗传》引《魏略》，记载天水郡旧有姜、阎、任、赵四姓。就此可以看出，三国时期中国的部分地区，已经实行名族评定。并且这样的观念绝不仅限于吴、会稽、天水诸地，中原地区也应当存在。但魏晋至五胡时期，关于中原地区的名族评定并没有明确的记载。《魏书》卷63《宋弁传》记载："(高祖孝文帝时)未几，以弁兼黄门，寻即正，兼司徒左长史。时大选内外群官，并定四海士族，弁专参铨量之任，事多称旨。"可以看出北魏孝文帝时期曾经作过评定名族的尝试。同书卷113《官氏志》记载："太和十九年（549），(孝文帝)诏曰：'代人诸胄，先无姓族，虽功贤之胤，混然未分。故官达者位极公卿，其功衰之亲，仍居猥任。比欲制定姓族，事多未就，且宜甄擢，随时渐铨。其穆、陆、贺、刘、楼、于、嵇、尉八姓，皆太祖已降，勋著当世，位尽王公；灼然可知者，且下司州、吏部勿充猥官，一同四姓。'"对比两条史料，可以发现太和十九年以前，汉人四姓已经是确定的了。

但是这四姓具体是指哪些家族，《魏书》中并没有明确的记载。据《资治通鉴》卷140齐明帝建武三年(496)

条：“魏主雅重门族，以范阳卢敏、清河崔宗伯、荥阳郑羲、太原王琼四姓，衣冠所推，咸纳其女以充后宫”，将崔、卢、郑、王作为四姓。宋王应麟的《小学绀珠》卷 7 和元胡三省的《通鉴考异》（上文所引《通鉴》注）中也持同样的观点。为给北魏四姓作出一个适当的解释，还需参考《新唐书》卷 199《柳冲传》中柳芳对于氏族的论述。其内容稍嫌繁琐，仅将其要点引用如下：

> （前略）魏氏立九品，置中正，尊世胄，卑寒士，权归右姓已。其州大中正、主簿，郡中正、功曹，皆取著姓士族为之，以定门胄，品藻人物。晋、宋因之，始尚姓已。然其别贵贱，分士庶，不可易也。于时有司选举，必稽谱籍，而考其真伪。故官有世胄，谱有世官，贾氏、王氏谱学出焉。由是有谱局，令史职皆具。过江则为“侨姓”，王、谢、袁、萧为大；东南则为“吴姓”，朱、张、顾、陆为大；山东则为“郡姓”，王、崔、卢、李、郑为大；关中亦号“郡姓”，韦、裴、柳、薛、杨、杜首之；代北则为“虏姓”，元、长孙、宇文、于、陆、源、窦首之。“虏姓”者，魏孝文帝迁洛，有八氏十姓，

> 三十六族九十二姓。八氏十姓，出于帝宗属，或诸国从魏者；三十六族九十二姓，世为部落大人。并号河南洛阳人。“郡姓”者，以中国士人差第阀阅为之制，凡三世有三公者曰“膏粱”，有令、仆者曰“华腴”，尚书、领、护而上者为“甲姓”，九卿若方伯者为“乙姓”，散骑常侍、太中大夫者为“丙姓”，吏部正员郎为“丁姓”。凡得入者，谓之“四姓”。又诏代人诸胄，初无族姓，其穆、陆、奚、于，下吏部勿充猥官，得视“四姓”。北齐因仍，举秀才、州主簿、郡功曹，非“四姓”不在选。

此处对四姓的定义是：“凡得入者，谓之‘四姓’”，虽然不易解释，但可能是指一个家族，在膏粱、华腴以下，同时兼具甲、乙、丙、丁诸条件，如此繁盛的家族，在现实中可能只有四家。其中所见的“侨姓”、“吴姓”、“郡姓”、“虏姓”之间的区分，以及“过江”、“东南”、“山东”、“关中”、“代北”各地评定名族的事实，从上下文判断，应当反映了北魏时期公认的评价。那么北魏时期的四姓，也应该在这些名族之中。柳芳在后文中称“太和(孝文帝的年号，477—500)以郡四姓为右姓”，不难推断“四姓”应在《柳冲传》所列郡姓之中。但郡姓是山东的郡姓还是关中的郡姓，依然存在疑问。《新唐书》卷 95《高俭传》载：“诏后魏陇西李宝，太原王琼，荥阳郑温，范阳卢子迁、卢浑、卢辅，清河崔宗伯、崔元孙，前燕博陵崔懿，晋赵郡李楷，凡七姓十家，不得自为昏。”被列为北魏名族的，有李、王、郑、卢、崔诸家，而其中陇西李氏为唐朝皇族，有研究认为是在唐代才受到尊崇。[①]因此真正的名族，应该是山东郡姓中的王、郑、卢、崔四姓。论述至此，可以看出司马光、王应麟以及胡三省对四姓的解释是正确的。

《柳冲传》中又有如下记载：“故江左定氏族，凡郡上姓第一，则为右姓；太和以郡四姓为右姓；齐浮屠昙刚《类例》凡甲门为右姓；周建德氏族以四海通望为右姓；隋开皇氏族以上品、茂姓则为右姓；唐《贞观氏族志》凡第一等则为右姓；路氏著《姓略》，以盛门为右姓；柳冲《姓族系录》凡四海望族则为右姓。不通历代

---

① 《朝野佥载》（《太平广记》卷 184 所引）云“后魏孝文帝定四姓，陇西李氏大姓，恐不入，星夜乘鸣驼，倍程至洛。时四姓已定讫，故至今谓之‘驼李’焉”。虽然这段记载的真实性尚无法确定，但李氏未入选北魏四姓应为事实。

之说，不可与言谱也。今流俗独以崔、卢、李、郑为四姓，加太原王氏号五姓，盖不经也。”可见北魏以来，对名族的评定仍在继续。评定的标准可能已经与北魏时不同，但是社会的评判体系自有一定的标准，天下名族的代表大都为山东郡姓。

据《唐国史补》(《太平广记》卷18“氏族”条)，上文中昙刚的《类例》，全名为《山东士大夫类例》。[①]《隋唐嘉话》[②]记载中书薛元超平生有三恨：“不以进士擢第，不得娶五姓女，不得修国史。”这里提及“五姓”的主体，应为山东郡姓。

《唐国史补》(同上所引)中又记张说事：“张说好求山东婚姻，当时皆恶之。及后与张氏亲者，乃为甲门四姓。郑氏不离荥阳，又岗头卢，泽底李，土门崔，皆为鼎甲。”唐乾元元年(758)，贾至撰《百家类例》序中

---

① 《唐国史补》(《太平广记》卷184所引)记载：“世有《山东士大夫类例》三卷。其有非士族及假冒者，多不见录。署云相州僧昙刚撰。后柳冲亦明族姓，中宗朝为相州刺史。询问旧老，云：‘自隋已来，不闻有僧昙刚。’盖惧嫉于时，故隐其名氏。”隋以来，已经不知昙刚之名，但据《柳冲传》，昙刚为齐之浮屠。

② 《隋唐嘉话》为刘竦所撰，其中记载：“薛中书元超谓所亲曰：‘吾不才，富贵过分，然平生有三恨：始不以进士擢第，不得娶五姓女，不得修国史。’”

载："至贞元中，左司郎中柳芳论氏族，序四姓，则分甲乙丙丁，颁之四海，世族则先山东。"可见六朝至隋唐时期的名族中，最受关注的是山东名族。且这些家族发展于中国的中原地带，非常适合作为中国家族的代表。因此我也首先从这些山东郡姓中选取研究对象。

我在这些山东名族中首先选取的是太原王氏。这仅是基于研究的安排，并没有特别的深意。在完成崔、卢、李、郑诸家族史料的整理后，也会再作进一步研究。但王氏一族随历史变迁，在地域移动和势力消长方面的变化很大，对于历史研究而言是非常有趣的个案。在柳芳的论著中，将北魏时期的太原王氏记于山东郡姓中的第一位。但《唐国史补》的四姓中已经不见王氏之名，《柳冲传》中流俗认定的四姓中也不含王氏，只有在列举五姓时才会提及王氏。这确实表示，王氏已经不在社会上共识的四姓范围之内。即使如此，王氏一族在唐代的社会地位并未完全衰落。《太平广记》引《唐国史补》："太原王氏，四姓得之为美，故呼为鈒镂王家，喻银质而金饰也。"从中可以看出，太原王氏无疑是相当于四姓的繁盛之家。因此，虽说是要探讨王氏一族的盛衰，但本文未必能真切说明其衰落的情况，唯愿能尽力显示其间的动态。

第二章

# 始祖传说的批判

## 第一节 传说的由来

与许多门阀相似，太原王氏也有自身独有的祖先传说。探讨这种传说的成立时期，是推定门阀崛起时间的重要线索，因此本章首先将试对始祖传说进行批判性的研究。

### （一）出自周灵王太子晋说

这种观点的代表是《新唐书》卷72《宰相世系表》，记载仅有“周灵王太子晋以直谏废为庶人”一句。王氏的始祖传说以太子晋一说最为有力，我搜集的墓志中，有20余方采用此说。此处不一一引用这些墓志原文，然而这些墓志较《世系表》的记载更为详尽。特别值得注意的是，在这些墓志中太子晋被记为一个仙人。

## （二）出自周文王说

《唐故蒲州虞乡县丞王君墓志》（北京图书馆藏《王安墓志》，王安卒于贞观十年五月十七日），《大唐故吏部常选王府君墓志》（讳爽，天宝四载十月二十五日卒，①北京历史博物馆藏），《大唐故恒王府典军赐金鱼袋上柱国太原王府君墓志》（讳景秀，大历十一年八月十三日卒，《八琼室金石补正》卷64）等，均记作周文王之胤。

## （三）出自后稷说

《太原处士王君墓志铭》（王通，贞观十八年十月九日卒，②北京图书馆），《故王君墓志铭》（王宽，永徽五年五月二十八日卒，北京图书馆），《故雍州美泉县丞王君墓志铭》③（王景之，景龙三年十月二十六日卒，北

---

① 译者注：据拓片为天宝四载八月卒，天宝四载十月二十五日入葬。北京图书馆金石组编：《北京图书馆藏历代石刻拓本汇编》第25册，中州古籍出版社，1985年，第91页。

② 译者注：据拓片为大业十年八月三日卒，贞观十八年十月九日与夫人合葬。《北京图书馆藏中国历代石刻拓本汇编》第11册，第125页。

③ 编者注：据《全唐文补遗》第2辑（三秦出版社，1995年）第406页，美泉当为美原之误。译者注：据拓片，王景之卒于永淳二年八月廿三日，参第156页墓志录文。景龙三年十月廿六日与夫人合葬。《北京图书馆藏中国历代石刻拓本汇编》第20册，第90页。

京图书馆）等持此说。

### （四）出自王子成父说

《东魏故渤海太守王府君墓志铭》（武定元年十月二十八日卒，[①]北京图书馆）记载："君讳偃，字槃虎，太原晋阳人也，其先盖隆周之遐裔，当春秋时，王子城父自周适齐，有败勋狄，遂赐王氏。"《唐故江西道观察使中大夫洪州刺史兼御史丞上柱国赐金鱼袋赠左散骑常侍太原王公仲舒神道碑》（《全唐文》卷562，韩愈撰，长庆三年十一月卒）记载："王氏皆王者之后，在太原者为姬姓，春秋时王子成父。败狄有功因赐氏，厥后世居太原至东汉隐士烈，博士征不就，居祁县。"以上皆为出自王子成父例。

### （五）出自周平王孙赤说

此说见于唐贞元中，历任大理少卿、御史中丞、虢州刺史的太原人王颜所撰《追树十八代祖晋司空太原王公神道碑铭》（《全唐文》卷545），记载如下：

---

① 译者注：据拓片，武定元年闰月廿一日卒，同年十月廿八日葬。《北京图书馆藏中国历代石刻拓本汇编》第6册，第99页。

厥后子孙，因王显姓，始自四十一代祖周平王孙赤。其父泄，未立而卒。平王崩，赤当嗣，为叔父桓王林废而自立，用赤为大夫。及庄王不明，赤遂奔晋，晋用为并州牧。自赤至龟八代，代牧并州。龟生乔，至文钊十六代，通前八代，代袭封晋阳侯。文钊生叔俊，叔俊生伯明，伯明生乇。乇河东太守征西大将军。乇生卓，卓字世盛，历魏晋为河东太守，迁司空，封猗氏侯。夫人河东裴氏，父仲贤，任雍州牧。卓翁年七十九，薨于河东。时属刘聪、石勒乱太原晋阳，不遂归葬，葬河东猗氏县焉。

以上五种始祖传说到底有几分可信度呢？顾炎武《日知录》卷23“氏族相传之讹”中指出：“表王氏则云：‘周灵王太子晋，以直谏废为庶人。’传记亦无此事，王氏定著三房，一曰琅邪，二曰太原，皆出灵王太子晋，三曰京兆，出魏信陵君。是凡王皆姬姓矣，乃王莽自为舜后，莽败，其族尚全，未必无后裔。而春秋吴有王犯，晋有王良，范氏之臣王生。战国齐有王斗、王蠋、王驩，费有王顺，魏有王错，赵有王登，秦有王稽、王龁、王剪、王绾、王戊，亦未必同出于灵王也。”顾炎武对太子晋的传说提出了质疑，这一问题也同样存在于其他始祖传说中。下文将依次对以上五种始祖传说逐一进行评论。

（一）对太子晋说的批判。春秋战国至秦汉时期，王姓人以太子晋为祖先并无确证。最早记载太子晋的文献是《列仙传》。现引用原文如下：

> 王子乔者，周灵王太子晋也。好吹笙，作凤凰鸣。游伊洛之间，道士浮丘公接以上嵩高山三十余年。后求之于山上，见桓良曰：“告我家，七月七日，待我于缑氏山巅。”至时，果乘白鹤驻山头，望之不得到。举手谢时人，数日而去。亦立祠于缑氏山下，及嵩高首焉。
>
> 妙哉王子，神游气爽。笙歌伊洛，拟音凤响。浮丘感应，接手俱上。挥策青崖，假翰独往。①

据《隋书·经籍志》，《列仙传》为汉代刘向所

---

① 《列仙传》据《古今逸史》所收本。

撰。但《四库全书总目提要》（子部道家类）指出《汉书·艺文志》载刘向六十七篇著作中并无《列仙传》，又另外列举其他三条理由，认为此书“或魏晋间方士为之，托名于向耶”。宋陈振孙在《直斋书录解题》中，也指出此书文辞全不似西汉时期，否定其为刘向的著作。

而认为此书为刘向所作的是晋代的葛洪，其主张见于《神仙传序》、《抱朴子》卷2《论仙篇》（3处）。①据此可以确认《列仙传》应成书于葛洪所处时代之前。但葛洪的观点全无客观性，即使他强作狡辩，此书为刘向所撰的说法也早已受到普遍质疑。

那么《列仙传》究竟成书于何时呢?《汉书》卷25《郊祀志》应劭注：“应劭曰：‘《列仙传》曰崔文子学仙于王子乔，化为白蜺。文子惊，引戈击之，俯而见之，王子乔之尸也，须臾则为大鸟飞而去。’”据此可

① 葛洪强调《列仙传》为刘向所撰，他在所撰《神仙传序》中称：“答曰：‘昔秦大夫阮仓所记有数百人，刘向所撰又七十一人。’”《抱朴子·论仙篇》云：“刘向……其所撰《列仙传》，仙人七十有余，诚无其事，妄造何为乎……刘向为汉世之名儒贤人，其所记述，庸可弃哉?”又云：“世人以刘向作金不成，便谓……所撰《列仙》，皆复妄作。悲夫!”又云：“至于撰《列仙传》，自删秦大夫阮仓书中出之，或所亲见，然后记之，非妄言也。”

知，《列仙传》在应劭所处的东汉末已经成书。那么《列仙传》中太子晋的传说，也可以认为出现于东汉时期。《后汉书·方术传》中也有对王子乔的记载："王乔者，河东人也。显宗（明帝）世，为叶令。乔有神术，每月朔望，常自县（南阳郡叶县）诣台朝。帝怪其来数，而不见车骑，密令太史伺望之。言其临至，辄有双凫从东南飞来。于是候凫至，举罗张之，但得一只舄（鞋）焉。乃诏尚方詠视，则四年中所赐尚书官属履也。每当朝时，叶门下鼓不击自鸣，闻于京师。后天下玉棺于堂前，吏人推排，终不摇动。乔曰：'天帝独召我邪？'乃沐浴服饰寝其中，盖便立覆。宿昔葬于城东，土自成坟。其夕，县中牛皆流汗喘乏，而人无知者。百姓乃为立庙，号叶君祠。牧守每班录，皆先谒拜之。吏人祈祷，无不如应。若有违犯，亦立能为祟。帝乃迎取其鼓，置都亭下，略无复声焉。或云此即古仙人王子乔也。"如果王乔即为王子乔（太子晋）这一观点，如《方术传》中所见出现于东汉明帝时期，那么太子晋这一人物应该在东汉初期已广为所知。

但即使王子乔（太子晋）在东汉已经非常有名，化而为鸟的传说也已经出现，也不能确定最初所引史料中成仙的传说出现于这一时代。作为太子晋成仙传说中心主题的缑氏山、嵩高山等，可以见于《汉武内传》、《十洲记》。而成仙于七月七日这一特定的时间点，也与《汉武内传》、《西京杂记》、《博物志》等书的记载有共通之处。[①]因此，太子晋成仙传说成立的时间，或与这些书的成书时代相近。武内博士从文体方面进行分析，推定《汉武内传》、《十洲记》为六朝时期的作品，《西京杂记》也并非成书于汉代。[②]又，《博物志》确实为晋张华所作，因此考虑到太子晋的成仙传说与这些书的关系，可以认为其大约成立于六朝初期。

那么王氏宣称王子乔为家族始祖又在何时呢？应该是王氏在繁荣发展的过程中，意识到需要粉饰家世的某一时期。而在这一时期，这种粉饰正可以促进家族的发展，太子晋这样的人物又恰好为当时的世人所喜爱。

前引《王卓碑》中可以见到三国时代的王昶告诫后代，不要与没有谱牒的家族交游。就此可以推断王氏在这一时代已经编写了家谱。没有家谱的家族会受到轻视

---

① 关于七月七日具有特殊意义这点，拙著《校注荆楚岁时记》（第158页）有所涉及。

② 武内义雄《神仙説》，《岩波講座東洋思潮》所收。

的这一事实，从另一方面说明拥有家谱的王氏有着相当高的社会地位。《世说新语·品藻篇》的注中有《王氏世家》一书，《赏誉篇》、《贤媛篇》中有《王氏谱》，《排调篇》中有《王氏家谱》。这些谱牒大约成书于晋以后，太原王氏应该是从这一时期开始进行系谱的编纂工作。《文选》卷46任彦昇撰《王文宪集序》引《琅琊王氏录》，其中可以见到太子晋的传说。由于琅琊王氏和太原王氏都称太子晋为家族始祖，太原王氏的家谱中也应该记载有同样的传说。

笔者认为评定名族是源于对这一家族成员文化修养的尊重，但是这种文化修养，是以数代为官作为前提条件的。①因此当时的名门望族对官位有强烈的渴求是非常自然的。三国魏以来，选拔官员皆由九品中正制。这一制度原本以严格公正地选取人才为目标，但前贤已经阐明，②九品中正制在实际实施过程中，造成了豪族垄

---

① 宫崎市定在其《科挙》一书（第14页）中对南朝贵族作过如下分析："他们能够成为贵族，是因为与中央政权保持往来，常被任命为朝廷高官。"

② 关于九品中正制的内容及其优缺点，冈崎文夫博士已在《九品中正考》（《南北朝に於ける社会経済制度》所收）中做出过详论。王伊同氏在所著《五朝门第》（金陵大学中国文化研究所丛刊乙种，1943年11月刊）一书中引用了大量相关方面的史料。以下试举一例，说明（转下页）

断仕途的局面。如果希望在某一个机构中获得官位，相较凭借个人才干，更重要的是扩大家族的势力、提升家族的名声。一看便知是虚构的太子晋传说，却被这样煞有介事地提出，大概正是出于应对这种现实的需要。

加之东汉以来世间崇尚隐士、逸民之风颇盛，在政治上几乎没有任何影响的太子晋能够受到如此尊崇，也是与这样的时代风气相呼应的。

（二）、（三）以文王或后稷作为始祖的观点，不过是在太子晋一说的基础上进一步上溯的结果，没有特别探讨的必要。

（四）出自王子成父说，如前所述，见于北京图书馆藏东魏王偃碑以及《全唐文》所收《唐王仲舒神道碑》。此外，还可见于《金石萃编》卷 24 魏王基的断

---

（接上页）本应严格公正的九品中正制，结果为豪族所把持的情况。《晋书·孙楚传》："初，楚与同郡王济友善，济为本州大中正，访问铨邑人品状，至楚，济曰：'此人非卿所能目，吾自为之。'乃状楚曰：'天才英博，亮拔不群。'"（这条史料见于《世说新语·言语》引《晋阳秋》中，但以《晋书》记载为确）。据此记载，王济在推举并州出身者时，自己居住在洛阳。而王济所推举的孙楚，本贯地虽为并州，但当时应该居住于其父任职太守的南阳。推举人和被推举人都不居住于本贯地的情况下，对双方而言，族望自然变得非常重要。——本注中非常重要的《五朝门第》一书，由竹田龙儿氏借予我，《晋书》与《晋阳秋》的不同之处，也蒙他指教。特此感谢。

碑："有成父者，出仕于齐，获狄荣如、孙湫，违难为莱大夫。"据《三国志·王基传》，王基为东莱曲城人（山东省掖县），因此早先王子成父被视为东莱王氏的始祖。但据《王仲舒碑》："王氏皆王者之后，在太原者为姬姓。春秋时，王子成父败狄有功，因赐氏，厥后世居太原。"太原王氏应该是借用了东莱王氏的始祖。钱大昕在《金石文跋尾》卷24中指出太原王氏一族，始祖却有太子晋和王子成父两说，明显存在矛盾。顾栋高在《春秋大事表》卷11"姓氏"条中推测这或为碑文作者韩愈之误。但以王子成父为始祖一说，在韩愈之前东魏时代的《王偃墓志》中便已出现，并非是韩愈随意捏造的。这或许可以说明：南北朝末期以来，太原王氏中的部分分支是以王子成父作为始祖的。

太子晋作为仙人，可能会成为某种特殊崇拜的对象。但如果加以合理的分析，太子晋不过是一个架空人物。其人的传记也并不见于可信的史书。记载太子晋传的《列仙传》，在葛洪所处的晋代就被认为是有问题的著作。因此太子晋这一人物的真实性，也早就被认为是值得怀疑的。

这样，太原王氏中有部分分支舍弃了太子晋说，而以王子成父作为始祖。王子成父其名可见于《左传》"文公十一年"条，及《管子》卷8《小匡篇》。文公十一年(前616)比太子晋之父灵王即位还要早40年，对于粉饰家系而言更加有利。可以认为，原本被视为东莱王氏始祖的王子成父，在南北朝末期被借用作太原王氏的始祖。

（五）周平王孙赤始祖说，在批判这一始祖传说时，我们必须再次探讨前引《全唐文》卷545王颜所撰《晋司空王卓碑》。《王卓碑》中首先记载了始祖赤至王卓的系谱，其后内容如下：

> (由于刘聪、石勒之乱，王卓葬于河东猗氏县之后，)隋并猗氏为桑泉县，今司空冢墓在县东南解古城西二里，至今子孙族焉。自古太原乡也，亦犹润州上元县有琅琊乡。后魏定氏族，佥以太原王为天下首姓，故古今时谚有鼎盖之名，盖谓盖海内甲族著姓也。我卓翁葬河东，子孙成族，间生将相，而太原之望，独不鼎盖河东著姓乎。(中略)
>
> 开元中，左丞相张公说越认范阳（范阳张氏）封燕国公；大历初，左相缙叔（王缙）越认琅琊

（琅琊王氏）封齐国公。且河东王承太原显望久矣，一旦为缙叔（王缙）齐公没之，而望平沈也。如燕齐两公，皆名世大贤，社稷重器，尚尔为也，况中智以下薄俗者乎。又见近代太原房谱，称显姓之祖，始自周灵王太子晋，琅琊房谱亦云太子晋后。且晋平公闻周太子生而异，使师旷朝周见太子，太子年方十五，旷谓太子色赤，太子谓旷曰：“吾后三年上宾于帝，果十八而仙。”得不谓元精下降，全真上宾，则知年未十五，已是神仙矣。岂于三年之中，而始同凡有嗣息耶？是各为修谱者务神奇祖先，竟称太子晋后，不其妄欤！

凡称太原王者，无非周平王之孙赤之后，前已详之明矣。桑泉房隋奉朝请善翁，善之子聃子翁，官至开府仪同三司车骑将军河北道大总管，见《隋书》，墓今有碑，僧昙延有奇表，身长八尺，见《高僧传》，蒲州桑泉人也。或有《延公赞》曰：“德与天全，身居佛半。”桑泉房幽州都督元珪翁，广州都督方平翁，皆盛德光时；左补阙智明伯，户部员外郎岳灵叔。

猗氏房右丞维叔，左相缙叔，俱伟文耀世……

虞卿房安西北庭二节度正见叔，武德冠时……

有以见我卓翁积德积仁，垂不已之庆，流于无穷也。

然因官婚，或弃乡族，迷失宗望，亦往往而在。晋司徒昶翁诫宗人曰：“若结婚姻，如暴贵无识，猥富不仁，慎勿为也。”又诫曰：“勿三代不仕不学，不看客失婚无谱，不葬无坟墓，不修仁。……”

孱孙颜，由进士官历台省，除洛阳令，移典杭州，入大理少卿，拜御史中丞，出虢州刺史。尝叹大道久隐，浇漓时极，今于正经揭道字为志，于子史揭道字为翼，成五十卷行于代，建《轩辕黄帝铸鼎原碑铭》闻于朝。卓翁冢墓古有碑庙，直下宗子，四县离居，每年用正月七日一合来祭，干戈动来，废至今日。时方开泰，冀得复行。呜呼！魏之风俗，俭不中礼；周之子孙，日失其序。颜实永痛，力建丰碑，有四义焉：一归流遁者之心，二正迷宗者之望，三伏旌垂庆之德，四永铭储祉之仁。

现将这一碑文的要点总结如下：

（a）刘聪、石勒乱时，太原王氏的一支开始定居于山西省南部的河东地区，定居于此的始祖是晋司空王卓。

（b）这支河东地方的王氏，尊周平王孙赤为始祖，而不采太子晋说。

（c）隋代河东地区的王氏有桑泉、猗氏、虞乡三房，子孙均为名士。

（d）河东王氏宗子分散于四县（在上述三房外，可能还另有一房），每年正月七日集会，共同举行祭祀。

（e）但战乱以来，家族成员的集会中断。

（f）大历初年，猗氏房王缙越认琅琊王氏，自此族望大为衰落。

（g）王颜为提高家族名望、聚集流散族人、彰显家族传承，遂立远祖之碑。

《王卓碑》是表现王氏家族一支之间（更可以细分为三、四房）联结方式的有趣史料。《全唐文》卷986中佚名撰《太原乡牒》一文可与《王卓碑》互为表里，此碑书写于大历十四年，也正是立王卓碑的王颜所生活的年代，现将其引用如下。

> 牒：县符称，得前同州郃阳令王颜状：“乡名太原者，本因远祖乇，乇生卓。乇汉末为冀州刺

> 史。卓在晋为司空、河东太守，薨时属刘聪、石勒乱太原晋阳，不遂归葬。乇冢今在猗氏县西次郭门外，卓冢在临晋县东南解故城二里。子孙因居河东，公私谱牒，遂著河东郡望。子孙居之地，名太原乡。……顷属羯胡逆乱，百姓逃去。永泰元年，县司遂废省前件乡，并人户入解城乡。颜等今属孝理之时，宗望将坠，逢时不举。后嗣何知，望请复立太原乡名，且废解城之号。……若太原名之不存，则宗无所据。……如蒙矜允，仍望各牒诸县宗人知者。"……准状仍认散牒宗人知者。

王颜一面通过立《王卓碑》以联合河东在住的宗族成员，一面又通过进呈书状来谋求复立太原乡名。《太原乡牒》应该正是对王颜书状的回应。

现据此文书补充《王卓碑》中没有的内容：(a) 河东地区的王氏将故乡名用于移居地，也即集合宗族成员的中心区域。(b) 王颜感伤于故乡名的废止，希求复立乡名。

从前文可以确知，自晋以来王氏的一支移居至河东地区。《新唐书 · 宰相世系表》中将其称为河东王氏，并载有如下谱系图（《新唐书》卷 72 中）。

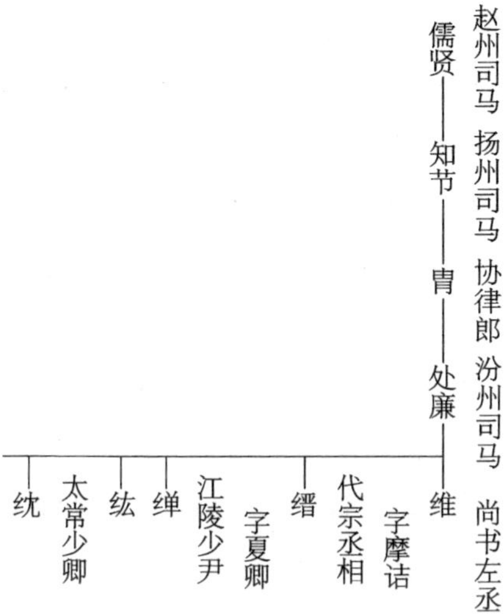


这一系统自然应该是前文所引《王卓碑》中记载的后代为王维、王缙的猗氏房。如果猗氏房被视为河东王氏的话，桑泉房、虞乡房应该也属于河东王氏的范畴。

那么，《王卓碑》和《乡牒》中关于河东王氏的记载究竟可信度如何呢？这一河东王氏又与《世系表》中王氏本宗（大房、二房等）之间有着怎样的关系呢？接下来我们试对此进行探讨。

据《王卓碑》记载，其家族周代以来即为名门，特别是王卓在晋代曾任司空。钱大昕曾指出《晋书》中不见王卓之名。而《全唐文》中《王卓碑》之后的《蒲州府志》中，王卓的官位与《王卓碑》及《乡牒》的记载有所不同，颇值得怀疑。那么河东王氏因刘聪石勒之乱而南下的传说，或许也有问题。

而《全唐文》卷193杨炯撰《泸川都督王湛神道碑》中有如下记载："……十一代祖卓，晋给事中。母常山公主，河东有汤沐邑，因家焉，葬于长寿县（山西省隰县），故乡有太原之号。"将此碑与《王卓碑》及《太原乡牒》进行对比，可以看到两个共通点：一是晋末太原晋阳王氏移居河东；二是将新的定居地称作太原乡。因此笔者认为《王卓碑》和《乡牒》都对《王湛碑》中的史实做出过粉饰。其要点大致可以概括如下：

（一）《王卓碑》和《乡牒》中所记王卓以前的系谱，均系捏造。据正史向前追溯（详见后文），王卓父为王济，王济父为王浑，王浑祖父为王昶，但碑、牒中的记载与此不同。这应该是通过在王卓这一人物身上增饰事迹，以表现其身份高贵的作伪。

（二）王卓为司空这一点也有误，事实上他仅官至给事中。碑、牒可能是将薨于东汉永和二年的司空王卓的事迹与传主王卓相结合，以塑造其地位尊崇的形象。①

（三）据《王湛碑》记载，太原乡所在地应是王卓的葬地长寿县，但《王卓碑》中却记作猗氏县。这应该是由于碑文作者在作伪时认为将太原乡名与猗氏县相结合更加有利。因此《王卓碑》和《太原乡牒》的作者，均应出自河东王氏，尤以猗氏房一支的可能性最大。

据《王卓碑》记载，河东猗氏房的王缙在大历初年越认为琅琊王氏，获得了齐国公的爵位。据钱大昕的观点，越认不过是通谱。由通谱的事实推断，猗氏房的王氏在唐代确实有粉饰家世的考虑。《蒲州府志》中否认了越认一事："夫说与缙自以功名官位得封，初未闻越认之事，且公侯之爵亦非因越认门望可邀得者。"针对这点，钱大昕在《金石文跋尾》卷 8 中指出，"缙与颜相去不远，当得其实。《封氏闻见记》载孔至撰《百家类例》，品第海内族望。以燕公张说近代新门，不入百家之数。则燕公非名族，当时固有议之者"。又《太平广记》卷 184 引《唐国史补》中记载："张说好求山东婚姻，当时皆恶之。"张说粉饰家世的可能性颇高，此

① 钱大昕《十驾斋养新录》卷 15"王颜追树十八代祖晋司空碑"中也持此见解。

处将王缙与其并举，或可认为王缙的越认也属实。宋邓名世《古今姓氏辩证》卷 14 中，又有“河东王氏，其先出自琅琊”的论断。这正是由于唐中叶以后，河东王氏和琅琊王氏之间通谱所致。

综上考证可知，自晋给事中王卓以来，太原王氏中的一支开始聚居于山西省南部的河东地区，最初在长寿县保留了太原乡名，定期集会并举行祭祀。随着其中猗氏房一支的强大，太原乡之名由长寿县移至猗氏县，此后遂有王卓葬于猗氏县的说法。简而言之，河东王氏的远祖为东汉王泽，经魏王昶，昶长子为晋之王浑，浑长子为济，而至于王卓，这即是王氏一族的嫡系后代。但是如《王湛碑》所见，王卓之后数代的情况全然不明，可以认为其间王氏在政治和社会上的势力稍有衰落。而与此相反，王浑末弟王湛一家，其后世代相承逐步发展，经南北朝至隋唐，出现了在正史中留名的人物，保留了完整的家族系谱。较之嫡系，庶出一系的发展更好。因此定居于河东的嫡系家族，在南北朝末再次兴起时，一些家族成员迫切希望重获嫡系名望，并为此深感焦虑。《王卓碑》中可以看出，河东王氏对尊太子晋为祖先的家系，怀有强烈的竞争意识，这可能正是源于他们对身份的焦虑。作为这种焦虑的结果，他们将最先定居于河东的晋给事中王卓，塑造成了相较史传记载更加重要的人物。这一虚构的王卓在出现之始，就和王济、王浑这样的实际人物不再相关，而是在此基础上不断层累地虚构出新的人物，直至周平王孙赤的出现。

钱大昕认为(一)《王卓碑》中周代泄与桓王为兄弟，但《史记·周本纪》中桓王为泄之子。如果以《史记》为准的话，碑文中平王之孙赤，应与桓王为兄弟。然而碑文中桓王为赤的叔父。（二）春秋时期无并州牧一职，但碑文中却出现了这一官名。因此，《王卓碑》中所见的始祖说也是可疑的。

而《蒲州府志》中又有如下见解：（一）赤逃往晋国一事并不见于《左传》。（二）晋献公时代，并州太原尚为夷狄之地。何况州牧这一官名始于汉代，晋国应无此名。（三）赤至其后十六代均为晋阳侯的这一说法也并无根据，因此《王卓碑》中的始祖传说也十分可疑。钱大昕和《蒲州府志》中的观点都值得肯定。

周平王孙赤比太子晋早十余代，是比王子成父更加古老的人物。河东王氏为粉饰家世而希望寻求时代更早的祖先，是可以理解的，追溯时代越古老的传说，出现的时代越晚，可信度也越低。

如上所述，通过对太原王氏始祖传说的批判，笔者认为其中先秦时代的部分大都不可采信。接下来不再进行批判性的研究，必须转而从正面加以考证。

## 第二节　太原王氏可信的最早祖先

《新唐书 · 宰相世系表》中，太子晋之后太原王氏的谱系记录如下。

为查明这一谱系图的真实性，还是需要和正史进行比较。首先应该注意的是《世系表》中第 28 代的王霸。关于王霸的记载可见于《后汉书 · 逸民传》，但他是否为王氏祖先尚且存疑。首先，如沈炳震在《唐书宰相世系表订讹》中所指出的一样，王霸到王泽（东汉灵帝时人）之间，相隔约 160 年，不可能有 20 余代。第二，王霸是太原广武人，王泽是太原晋阳人，地理上相距甚远。第三，详细记载传主的祖先，是《后汉书》列传的特色之一。如果王霸出身高贵，那么其先世自然会被提及，但传记中完全没有相关的记载。第四，王霸具有逸民的特点，与其后创造出的太子晋这样的仙人有一定的共通性，非常适合被塑造为先祖。这样看来，王霸

1 太子晋

2 宗敬

3—8 不明

9 错（魏将军）

10 贲

11 渝（上将军）

12 息（司寇）

13 恢（伊阳君）

14 元

15 颐（召未就）

16 翦（秦大将军）

17 贲（武陵侯）

18 离（武城侯）

19 元（琅琊王氏之始祖）·威（太原王氏之始祖）

20—27 不明

28 霸（东汉光武帝时代的隐士）

29 咸

30—48 不明

49 泽（雁门太守）

为太原王氏先祖的真实性还存在疑问，那么王霸之前的诸人更无从取信。

由于无法确信王霸为王氏的先祖，接下来可与正史对照的为王泽。

据《后汉书·郭泰传》，太原晋阳王柔、王泽两兄弟曾在少年时拜访过同郡的郭泰（字林宗），询问日后“才行所宜”，郭泰认为王柔“当以仕进显”，王泽“当以经术通”。其后二人的发展确如郭泰所言。王柔、王泽为太原人，二人的子孙也在正史中有所记载。因此笔者认为可以确认的王氏祖先，最早应为王柔、王泽二人。

而检看《史姓韵编》七阳部王氏条，东汉末期除王柔、王泽以外，还有几位太原出身的王氏族人。其中最为著名的是在《后汉书》卷96有传的王允：“王允字子师，太原祁人也。世仕州郡为冠盖。”

王允在献帝时代为枭雄董卓信任，后不忍董卓残暴而将其诛杀，自身又为董卓部下李傕、郭汜所杀。其子孙的情况在《后汉书》中记载如下：“长子侍中盖，次子景、定及宗族十余人皆见诛害，唯兄子晨、陵得脱归乡里。”（“陵”为“凌”之误。参考《三国志·魏书》

卷 28《王凌传》）相对于王柔、王泽等晋阳派，王允家是可称为祁县派的名族。但是王允被杀时，除其兄子晨、陵之外，宗族十余人均被诛杀，而晨、陵又在魏时图谋废立失败，也被族诛。因此并无后世子孙繁盛的可能。但《新唐书·宰相世系表》中的乌丸王氏却有如下世系，结合上述记载，这一传承谱系是非常可疑的。

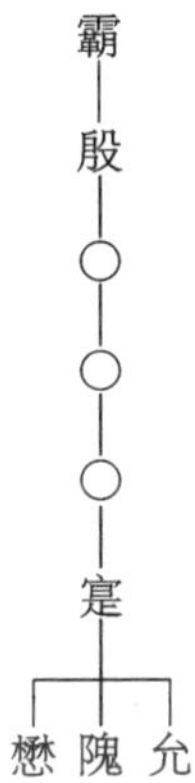


此外还想指出的一点是，以王霸、王殷为远祖的家族还有若干可见诸史料。如《全唐文》卷 135 杜淹撰《文中子世家》中，详述了隋代大儒文中子王通的祖先：始祖王霸、十八代祖先王殷（汉云中太守）、十四代祖王述、九代祖王寓（仕晋）。前文已经分析过以王霸为祖先并不足信，王殷之名则是在此处初出，但《文中子世家》远祖部分空白之处颇多，也不能轻易采信。加之据《唐衡州刺史東府君故夫人墓志》(北京)，王殷并非太原王氏的始祖，而是琅琊王氏的始祖。简言之，将王殷作为远祖的说法不过是后人的附会。

那么可信的太原王氏祖先的上限，应为东汉末期的王柔、王泽兄弟。但由于王允被称作世世冠盖，太原王氏应并非突然崛起于东汉末期，或许可以认为是在东汉中期逐渐兴起的。

第三章

# 王氏的门阀化及其生活

（以下是本章和下章必要的世系图。首先列出的是《新唐书·宰相世系表》中的世系图，其后是笔者考订校正过的世系图。[①]考证的细节不一一详论，对比两图便可以明了。下章的世系图也是如此。又，世系图中的数字表示世代。）

---

① 《新唐书·宰相世系表》中的记载非常草率，为对其中的内容作出订正，首要的工作是将《世系表》中所见人物与正史中的人物传记进行确认。前人的成果中，周明泰的《三国世系表》与周嘉猷的《南北史世系表》（均收入《二十五史补编》）都是质量上乘之作。其次，《金石萃编》、《八琼室金石补正》、《全唐文》中收录的墓志铭，北京图书馆、历史博物馆所藏墓志铭可以大为补充正史之缺。近代的家谱对了解古代历史作用有限，但在进行太原王氏研究时，应该注意光绪二十年（1894）王家振所撰《王氏通谱》一书。此书序言为俞樾所作，利用经部文献 6 种、史部文献 259 种、子部文献 67 种、集部文献 180 种来进行王氏系谱的研究。尤其是引用书目中包括地方志 133 种，明代的族谱中还引用了今日所不得见的史料。已故久野昇一氏告知笔者东洋文库藏有此书，十分便利。此处向久野氏致以谢意。

(1)《新唐书·宰相世系表》

泽—昶—浑—湛—承—述—坦之—愉—缉……（下略）

　　　└济

(2) 守屋考证系图

[A]王柔家系图

1 柔《后汉书·郭泰传》
  泽——昶(下略)……(参照B系图)

2 机《魏志·王昶传》注引《王氏谱》·《晋书》七五

3 默 同上《王氏谱》·《晋书》九三《外戚传》
  沈《晋书》九三《王沈传》
  正妻=荀氏
  妾=赵氏

4 佑《晋书》九三
  // 浚 赵氏之子

5 // 峤
  讷《晋书》九三·《世说·容止篇》注引《王氏谱》=颍川庾琮之女《世说·赏誉篇》注引《王氏谱》
  稺《王氏通谱》
  // 道素
  女=鲜卑务勿尘 //
  女=……

6 // 淡
  濛《晋书》九三·《世说·言语篇》注引《王长史别传》=爰氏《晋书》三二《皇后传》
  // 崇之

7 度世
  穆之=哀帝《晋书》九三·《世说·方正篇》注引《中兴书》
  修《晋书》九三
  蕴《晋书》九三=刘氏《晋书》三二

8 华《晋书》八四《王恭传》
  // 恭
  // 履
  熙=鄱阳公主《王氏通谱》
  爽《晋书》八四·《晋书》九三
  法惠=武帝《晋书》三二·《世说·方正篇》注引《中兴书》

9 // 和
  // 愔之《世说·言语篇》=谢景重之女月镜《世说·言语篇》注引《谢女谱》
  简《晋书》八四
  ○ //
  ○ //
  ○ //
  庶子昙亨《晋书》八四

[B 王浑家系图]

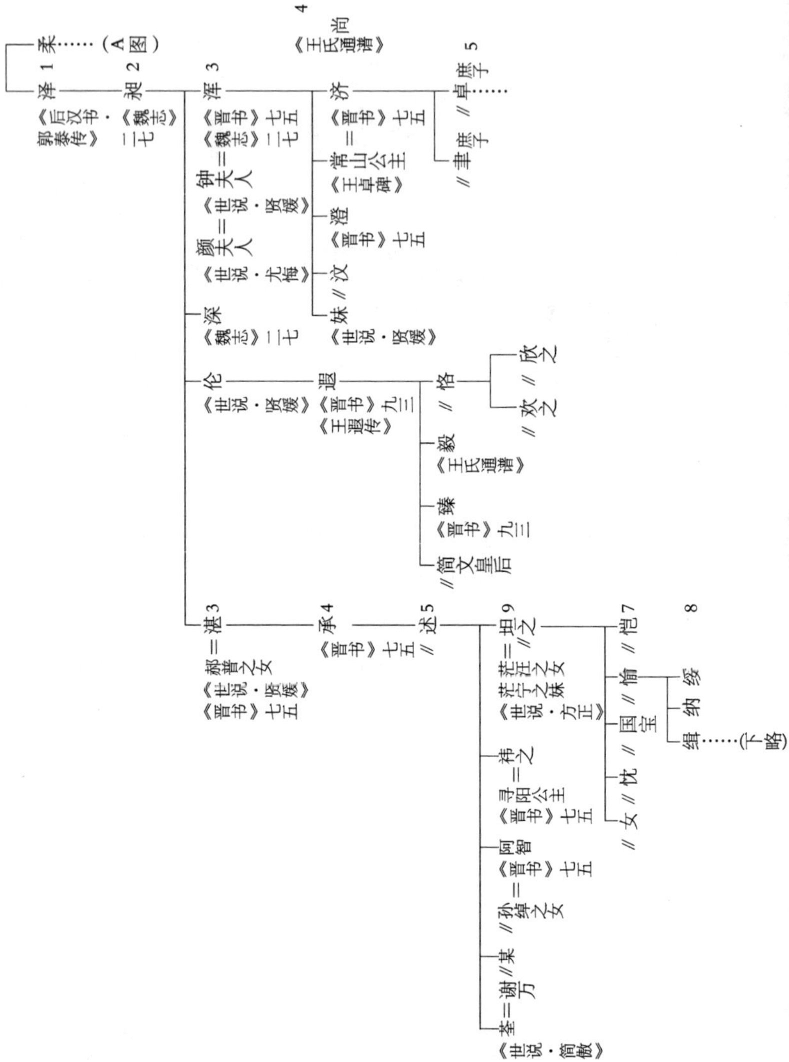

柔……（A图）
泽 1 《后汉书·郭泰传》
昶 2 《魏志》二七
浑 3 《晋书》七五 《魏志》二七
=钟夫人 《世说·贤媛》
=颜夫人 《世说·尤悔》
尚 4 《王氏通谱》
济 《晋书》七五 =常山公主 《王卓碑》
卓 5 庶子……
聿 庶子
澄 《晋书》七五
汶
妹 《世说·贤媛》
深 《魏志》二七
伦 《世说·贤媛》
遐 《晋书》九三 《王遐传》
恪
欣之
欢之
毅 《王氏通谱》
臻 《晋书》九三
简文皇后
湛 3 =郝普之女 《世说·贤媛》 《晋书》七五
承 4 《晋书》七五
述 5
坦之 9 =范汪之女 范宁之妹 《世说·方正》
祎之 =寻阳公主 《晋书》七五
阿智 《晋书》七五 =孙绰之女
某
荃 =谢万 《世说·简傲》
恺 7
愉
国宝
忱
女
绥 8
纳
缉……（下略）

## 第一节　门阀的成立

《世说新语·言语篇》注引《王长史别传》云："其先出自周室，经汉、魏，世为大族。"王柔、王泽入仕并发迹以来，这一家族便世代为官。王柔子王机为东郡太守，王泽子王昶为曹魏尚书。当时王柔、王泽两家之间联合的意愿很强。例如王昶为王柔家族后人王默和王沈取名，王沈少年丧父，王昶收养了王沈，并一同照顾其继母、寡嫂。[①]此外，王昶所写的家诫，不仅是为自己的子孙，也是为两位从侄王默和王沈所作，这点非常值得重视。家诫中写道："夫孝敬、仁义，百行之首，行之而立，身之本也。孝敬则宗族安之，仁义则乡党重之。"王昶认为孝敬、仁义的德行，适用于宗族、乡党的范围。

家诫中也列出了子弟行为的规范，起首为："其用财先九族，其施舍务周急。"这并非表示财产是宗族共有的，但规定了对家族内部困顿之人有救助的义务。综

① 《魏书·王昶传》。译者注：《三国志·魏志·王昶传》。

合以上几点来看，在曹魏时期，王氏家族确实已经可以称为大族了。

那么这里自然会遇到一个问题：大族是否就是门阀呢?《后汉书·宦者传》的论中有“门阀”一词：“声荣无晖于门阀。”又《北史》卷50《辛术传》中也使用了这个词：“术性尚贞明，取士以才以器，循名责实，新旧参举，管库必擢，门阀不遗。”总体而言，汉魏之际“门阀”一词的用例并不多。但“阀”的特权意识在东汉时期就已经出现，章帝曾说：“每寻前世举人贡士，或起甽亩，不系阀阅”（《后汉书·章帝纪》建初元年），感慨当世尊崇阀阅之风。韦彪也曾上奏建议：“士宜以才行为先，不可纯以阀阅。”那么“阀”究竟是什么?《史记·高祖功臣表》太史公序中定义为：“明其等曰伐，积日曰阅。”《论衡·谢短篇》中则认为：“自言己功曰伐。”[①]似乎“阀”是特指建立了某种功劳。而且两汉时期的功劳恐怕并非军功，而主要是指作为官吏所建之功。如果这样考虑的话，“阀”与“阅”之间似乎没有明确的区别。

---

① 译者注：“自言己功曰伐”不见于《论衡·谢短篇》，出自《尚书正义》卷4《大禹谟》疏。

简而言之，门阀是指累世官卿之家，而大族、大姓、豪门并不一定就是门阀。

太原王氏自东汉的王柔、王泽以来，累世为官。就这点而言，王氏一族可以称为门阀。但是将某一时代称为门阀主义的时代，须是门阀在政治或社会层面的优越性，通过某种形式被广泛认可。那么，这种优越性是从何时开始、以怎样的形式具体表现出来的呢?

《世说新语 · 规箴篇》中有关于王柔家第六代孙王濛的记载："王长史性凝简，不狎当世。尝从容谓诸子曰：'吾家门户，所谓素族，自可随流平进，不须苟求也。'"①素族是指难以实现抱负的家族，这里特指没有机会进入仕途的家族。但此处王濛将自己家族称为素族，仅仅是为了告诫子孙，其家族的真实情况毋宁是与此相反的。

王柔家第七代孙王蕴，在东晋简文帝为会稽王时，曾接连上状推举人才，状文为"某人有地，某人有才"。他的选荐之法被认为十分得当。"有地"，应是指

① 译者注：这条引文不见于《世说新语 · 规箴篇》。《梁书》卷7《太宗王皇后传》记载："(王骞)性凝简，不狎当世。尝从容谓诸子曰：'吾家门户，所谓素族，自可随流平进，不须苟求也。'"

具有可以成为官吏的适当家世，可见在王蕴所处的时代，门阀的优越性已经世所公认。

王濛虽然告诫子弟需以素族自居，但实际在世人眼中，并不将王氏家族视为素族。因此王濛规诫子弟的言教，在当时的世风下可能也收效甚微。《晋书》卷84王蕴次子王恭的传记中记载："（恭）少有美誉，清操过人，自负才地高华，恒有宰辅之望。……为性不弘，以暗于机会，自在北府，虽以简惠为政，然自矜贵，与下殊隔，不闲用兵。"王恭自负高门，时人也对他的家世颇为认可，比如东晋名士谢安经常讲"王恭人地可以为将来"①，《王雅别传》（《世说新语·谗险篇》注引）中载"王珣、王恭，特以地望见礼，至于亲幸"。

王柔一系的人在东晋时代已具有如此优越性，那王柔弟王泽一系的后人又是怎样的呢？从王泽孙王浑一家的通婚问题中，可以找到答案。其事见于《世说新语·贤媛篇》：

王浑妻钟氏生女令淑，武子为妹求简美对而未

① 译者注：《晋书》此处原文为"王恭人地可以为将来伯舅"。

得。有兵家子，有俊才，欲以妹妻之，乃白母，曰："诚是才者，其地可遗，然要令我见。"武子乃令兵儿与群小杂处，使母帷中察之。既而，母谓武子曰："如此衣形者，是汝所拟者非邪？"武子曰："是也。"母曰："此才足以拔萃，然地寒，不有长年，不得申其才用。观其形骨，必不寿，不可与婚。"武子从之。兵儿数年果亡。

仔细斟酌这段内容不难发现，在入仕和晋升方面，门阀和非门阀之间存在着巨大的差距。但门阀与非门阀之间的通婚，也并非是完全不可行的。《三国志·吴志》卷11《吕范传》记载："(吕范)少为县吏，有容观姿貌。邑人刘氏，家富女美，范求之。女母嫌，欲勿与，刘氏曰：'观吕子衡宁当久贫者邪？'遂与之婚。"这种人才至上主义的精神，虽然在西晋时王氏家族中还多少有所存续，但门阀的特权意识，以及寒族对门阀的憧憬，都日益增强了。《世说新语·尤悔篇》记载："王浑后妻，琅邪颜氏女。王时为徐州刺史，交礼拜讫，王将答拜，观者咸曰：'王侯州将，新妇州民，恐无由答拜。'王乃止。武子（王济）以其父不答拜，不成礼，恐非夫妇，不为之拜，谓为‘颜妾’。颜氏耻之。以其门贵，终不敢离。”出身门阀的儿子对寒族出身的后母傲慢无礼，但后母以夫家门第高贵为荣，忍辱而不敢埋怨。接下来再引用一则通婚关系中所见门阀观念的史料，《世说新语·贤媛篇》中记王湛（王泽之孙）事：

王汝南少无婚，自求郝普女。司空以其痴，会无婚处，任其意，便许之。既婚，果有令姿淑德。生东海（王承），遂为王氏母仪。或问汝南何以知之？曰："尝见井上取水，举动容止不失常，未尝忤观。以此知之。"

紧接着后文中引《汝南别传》："襄城郝仲将，门至孤陋，非其所偶也。君尝见其女，便求聘焉。果高朗英迈，母仪冠族。其通识余裕，皆此类。"这一通婚事例也体现了名族和寒族之间的复杂情况。王湛的父亲王昶不仅同意王济自己决定结婚对象，还默许了当时社会观念中并不认可的与寒门通婚。正如前文中王济妹的婚事一样，笔者从这一事例中也看出了当时对门第的重视。虽然被父亲误认为愚痴，但王湛自身却进行了慎重的考量与判断。这种考量的背后，是尚存一息的人才至上的思考方式。

王济孙王述在东晋兴起时决定南迁，《晋书 · 王述传》中关于其子王坦之的婚姻有如下记载：

> 坦之(王述之子)为桓温长史。温欲为子求婚于坦之。及还家省父，而述爱坦之，虽长大，犹抱置膝上。坦之因言温意。述大怒，遽排下，曰："汝竟痴邪！讵可畏温面而以女妻兵也。"坦之乃辞以他故。温曰："此尊君不肯耳。"遂止。

即使掌握军队实权、不可一世的桓温，也并不能动摇名门引以为傲的气度。

王坦之一家婚姻的问题并不仅限于此，《世说新语 · 假谲篇》中记载了王坦之弟王阿智的婚姻：

> 王文度弟阿智，恶乃不翅，当年长而无人与婚。孙兴公有一女，亦僻错，又无嫁娶理。因诣文度，求见阿智。既见，便阳言："此定可，殊不如人所传，那得至今未有婚处？我有一女，乃不恶，

但吾寒士，不宜与卿计，欲令阿智娶之。”文度欣然而启蓝田云：“兴公向来，忽言欲与阿智婚。”蓝田惊喜。既成婚，女之顽嚚，欲过阿智。方知兴公之诈。

从引文中不难看出世人对王氏门第的敬意。门第的形成，在门阀对自身家世的自负之外，还需要其他家族的认同。此处孙氏自谦“吾寒士，不宜与卿计”①，正说明当时已经存在将特定的家族视为门阀的共识。

## 第二节　门阀的经济基础

根据前文的分析，可以确认在西晋到东晋时期王氏已经成为众所公认的门阀。接下来将对王氏的生活情况进行考察。首先分析作为门阀的王氏家族的经济状况。仍以王柔家为例，其家族嫡系在西晋时代还并不富裕。

---

① 关于本节所探讨的门阀的优越性，宫川尚志氏在大作《魏晋及び南朝の寒門・寒人》[《東亜人文学報》3(2)]中，从相反方向进行了考察。

晋室南渡，第五代孙王峤[1]携二弟前往江南，陷入了穷困的窘境。或许正因为如此，东晋元帝赞赏王峤兄弟三人的操行时，才下令“宜蒙饰叙。且可给钱三十万，帛三百匹，米五十斛，亲兵二十人”。以清行著称的王峤，晚年被任命为庐陵太守，因家贫无法前往，得赐布百匹，钱十万。随着东晋政权逐渐稳固，作为王室外戚重臣的王氏家族，基础也日渐稳固。但史料中并没有关于王氏拥有大量资产或从事生产工作的记载。王峤的后代——王氏第六代孙王濛、第七代孙王蕴，也以无意于追求财富而闻名，第八代孙王恭死后，家无财帛，唯有书籍，甚至为识者所责难。[2]那么这一家族是依靠什么维持生活的呢？据《晋书·王恭传》，“尤信佛道，调役百姓，修营佛寺，务在壮丽，士庶怨嗟”。此处“调役百姓”，并非仅仅是指调役自家的奴婢和佃农，还包括随时向自己统治地区的民众征收贡物和征发劳役。王恭将这一权力运用于建造佛寺，就此也不难想象他在日常生活中调役百姓的场景。

---

① 本节中出现的人物事迹，不注明出处的，均据《晋书》本传。

② 译者注：《晋书》卷84《王恭传》中原文为“家无财帛，唯书籍而已，为识者所伤”。

如果进一步检视王柔家族庶系在经济方面的史料，第三代王沈在史传有“性清简，不营产业”的记载。此处的“产业”应该是指田产，但不能确认这里是指王沈家没有自营地，还是说无论是自营地还是租佃土地，一切田产皆无。但《王沈传》又记载“其使所领兵作屋五十间”，可见王沈还领有私兵。这些私兵也有可能被征调来耕种家主的土地，因此笔者认为“不营产业”，是指王沈没有自营地。

王沈的继承者为庶出的王浚。王浚为西晋一代枭雄，[①]最后被石勒所杀。从石勒杀其麾下精兵数万人一事，不难想象王浚拥有相当数量的私兵。为给养士兵及获取生活之资，王沈对百姓横征暴敛。石勒曾指责他：“以百姓馁乏，积粟五十万斛而不振给。”王浚手下的兵将，也时常侵占百姓土地进行耕作，事见《王浚传》：“将吏又贪残，并广占山泽，引水灌田，渍陷冢墓，调发殷烦，下不堪命。”由此可见，王柔一系积蓄财产的主要方法有：（一）天子的赐予，（二）私兵的耕

① 关于王浚其人，冈崎文夫已经在《魏晋南北朝通史》（内编）第2章《东晋五胡时代》第145页进行过详细论述。其传记见《晋书》卷39。

作，（三）征调百姓。

接下来我们观察王泽一家的经济生活。王泽子王昶在家诫中提及了宗族内部互相救助，与东汉豪族崔寔《四民月令》[①]中的记载有相似之处。可见王昶家业丰厚，但其家产积蓄的方法却无从得知。至于王昶子王浑的时代，从属其家的私附数量逐渐增加。王浑任豫州刺史时便有许多吴人降晋，其后他由豫州刺史迁安东将军、都督扬州诸军事，镇守寿春，破吴，使吴主来降。

据《晋书》卷42《王浑传》："浑不尚刑名，处断明允。时吴人新附，颇怀畏惧。浑抚循羁旅，虚怀绥纳，座无空席，门不停宾。于是江东之士莫不悦附。"虽然无从得知这些吴人是以何种形式归附王浑家的，但无论从学识还是身份来讲，这些人应该有尊卑之别。尊者如引文中所示，成为宾客，受到礼遇，而卑者则可能作为奴婢、佃客，成为王浑家经济实力的根基。这完全是由于王浑出镇寿春这一特殊地区所致。据《晋书·食货志》中杜预的上疏，当时江淮地区陂池营造大为盛行。这些工程的主要目标是发展稻作，但对王浑而言，以任

① 参照拙稿《歳時記〈四民月令〉について》，《国民精神文化》8(10)。

地(今安徽省)为中心，广为吸收长于稻作的吴人，大兴稻作，增强了家族的经济实力。

武帝末期太熙初年(290)，王浑进为司徒，惠帝即位后，又加封侍中。惠帝皇后贾南风以外戚的身份诛杀把持朝政的杨骏后，为表示崇重旧臣，允许王浑领兵。但王浑认为文官领兵，不合旧典，自己仅仅因为一时之宠而得以领兵并非常制，因此将士兵的赤衣改为黑衣。需要注意的是，此处的“持兵”，相较于武装力量上的意义，更重要的是一种恩惠的体现。这些士兵基本可以认为是私有物，对所有者而言，他们在危急状态下是武装力量，平时则基本是进行农业生产的劳动力。王浑可以依自己想法随意改变这些士兵的服装，也说明他们确实是私有物。这点在《晋书》中还有可以进一步佐证的史料。晋末，楚王玮欲讨汝南王亮，公孙宏向楚王建议可以拉拢王浑。楚王玮听从此计，但王浑“辞疾归第，以家兵千余人闭门距玮”。此处的“家兵千余人”，应该即是前文中提及的恩宠所赐。可以想象，这些家兵在平时应该也承担生产的任务。

王氏家族在西晋时期积累了相当的财富，随着西晋灭亡举家南迁，整体实力似乎受到了很大打击。南迁后的王氏第二代王述，早年丧父，事母以孝闻，安贫守约，不求闻达。从“安贫”一词不难想象，南迁之后的王氏，在北地尽失后的一段时间内，陷入了相当的苦境。对王述而言，首要的任务是在江南的新天地中确保自己家族的经济基础。据《晋书·王述传》记载：“初，述家贫，求试宛陵令，颇受赠遗，而修家具，为州司所检，有一千三百条。王导使谓之曰：‘名父之子不患无禄，屈临小县，甚不宜耳。’述答曰：‘足自当止，时人未之达也。’比后屡居州郡，清洁绝伦，禄赐皆散之亲故，宅宇旧物不革于昔，始为当时所叹。”这条史料的结论是在赞赏王述的清廉，但他也曾扬言在得到满足之前，凭借职务聚敛财物是理所当然的，并以知晓限度而自矜。就此不难看出当时的官僚抱持着怎样无法无天的利己之心。王述在某一时期之前，无视各种谴责而专意于敛财，并以这些钱财周济宗族。太和二年（367），晚年的王述上疏乞骸骨，疏文中引用先祖司空昶遗诫表明退意，有“乞奉先诫，归老丘园”之语。“丘园”可能是指王述用于养老的田园。

至于东晋末期，王氏家族已经积累了相当的财富。例如王述孙王忱，桓玄以打猎为名向他借用数百人，王忱悉数与之。基本可以认为，这些出借的“客”并不具有完全的人格，他们是完全隶属于王忱的。这些“客”数量众多，就此考虑他们应当也是从事农耕活动的。

晋室南渡之初，渡江名族均盼望北归，而无意于耕作。《颜氏家训·涉务篇》中载：“江南朝士，因晋中兴，南渡江，卒为羁旅，至今八九世，未有力田，悉资俸禄而食耳。假令有者，皆信僮仆为之……”王氏家族也是如此。南迁初期，王氏热心于北归，桓温曾一度夺取洛阳，欲将洛阳钟虡移至江南，王坦之[①]表示：“永嘉不竞，暂都江左。方当荡平区宇，旋轸（天子之舆）旧京。”王坦之还对谢安等豪族的行为有所不满，予以苦谏，也可以看出他对于获得土地并无执着。综上可以认为，东晋初年，王氏家族财富的基础主要来自天子的赐予、俸禄以及依靠职位获取的收益。但是南渡百年之后，王氏家族北归的意愿逐渐淡化，日益感觉到与土地建立关联的重要性，王忱拥有客数百人正说明了这一变化过程。

---

① 译者注：据《晋书》卷75《王述传》，引文内容为王述所言。

## 第三节　门阀的精神生活

上文探讨了作为门阀的王氏的经济生活，接下来有必要对他们的精神生活进行考察。王柔家族中的前四代均进入仕途为官，而至于两晋之交，出现了王峤这样特立独行的人物，虽为西晋并州、司州所征辟，均不就。王峤没有任何官爵，但在渡江后因“名德之胄，并有操行”[①]，受到了特别的恩宠。就此可以认为，当时社会品评人物的标准并非官位的高下，而是操行及风尚。这点在《王濛传》中表现得更加明显。王濛是东晋第一流的清谈名士，少时放纵不羁，为乡曲所不齿，但日后幡然醒悟，刻苦勉励，获得了风流的美誉。据其《别传》记载：“濛之交物，虚己纳善，恕而后行，希见其喜愠之色。凡与一面，莫不敬爱之。然少孤，事诸母甚谨，笃义穆族，不修小洁，以清贫见称。”

《太平广记》卷 210“画”条引《名画记》，有如下记载：

① 《晋书》本传。

晋王濛字仲祖，晋阳人。放诞不羁，书比廙翼。丹青甚妙，颇希高远。尝往驴肆家画輀车（葬车）。自云："我嗜酒好肉善画，但人有饮食美酒精绢，我何不可也。"特善清谈，为时所重。

《世说新语·文学篇》中记载了支道林、许询、谢安等人聚集于王濛家中，与会者皆自矜此乃时彦之会。王濛"性至通，而自有节"[①]，谢安评价他"语甚不多，可谓有令音"[②]。

东晋简文帝（即位前为会稽王）热衷清谈，将清谈家招致门下。王濛与殷浩、刘惔、支遁、韩伯、许询、殷仲湛等均为会稽王的谈客，被待以上宾之礼。[③]史料中关于王濛的大半记载，都将重点置于描绘其一代谈宗的形象。《世说新语·品藻篇》云："刘尹、王长史（王濛）同坐，长史酒酣起舞。刘尹曰：'阿奴（称呼）今日不复减向子期（竹林七贤中的向秀）。'"同篇又载："刘尹抚王长史背曰：'阿奴比丞相，但有都长。'"不难看出王

① 《晋书》卷93《外戚王濛传》。
② 同上。
③ 参考青木正儿《清談》（《岩波講座東洋思潮》所收）。

濛在日常起居行事中颇具风度。阅读这些史料，可以明确了解到王濛的生活目标。他所追求的是悠然温厚、技艺精妙、机敏善辩、融通无碍、进退有度、举止优雅，一言以蔽之，即是“自我的实现”。作为国家重臣的忠诚完全未纳入考虑，家族道德也绝非最高的理想。对以自我实现为目标的王濛而言，真正心意相通的，并非是家人和亲戚，而是没有血缘关系的清谈家们。正如《世说新语 · 容止篇》记载：“王长史尝病，亲疏不通。林公来，守门人遽启(禀告)之曰：‘一异人在门，不敢不启。’王笑曰：‘此必林公。’”

王濛作为清谈家的生活态度，也表现在对子女的教育方面。《世说新语 · 品藻篇》中记载了如下故事：王濛的好友刘尹到王濛处清谈，王濛子王苟子(修)当时十三岁，二人对话时在侧旁听，刘尹走后，问父亲如何评价刘尹的言辞。王濛表示，言辞的优美程度上，刘尹不如自己，但在制胜的辩论方面，自己则不如刘尹。①

---

① 译者注：《世说新语 · 品藻》原文如下。刘尹至王长史许清言，时苟子年十三，倚床边听。既去，问父曰：“刘尹语何如尊？”长史曰：“韶音令辞，不如我；往辄破的，胜我。”

接受这样教育的王修，自然走上了和父亲相同的道路。他 12 岁即著《贤全论》一书，刘惔赞叹为“敬仁（王修的字）此论，便足以参微言”。王修弟王蕴，性平和，又颇富侠义，在任吴郡太守时，曾断行德政而被贬官。《晋书》记其品行：“蕴素嗜酒，末年尤甚。及在会稽，略少醒日。”

王蕴与王濛、王修虽然个性不同，但不过是另一种方式的追求自我实现而已。在笔者看来，他们之间并没有本质的差别。

王蕴子王恭，《晋书》本传中评价他“少有清誉，清操过人”。《中兴书》（《世说新语·赏誉篇》注引）中记载，“恭虽才不多，而清辩过人。有人道孝伯常有新意，不觉为烦”[①]。从这些内容中，我们可以看出王柔一系中一以贯之的生活态度，也即前文已经提到过的“自我的实现”。那么王泽家族又是怎样的呢?

这一家族首先需要关注的是王泽第三代孙王济。据《晋书》记载，王济“善于清言，修饰辞令”，武帝每

---

① 译者注：“有人道孝伯常有新意，不觉为烦”部分为《世说新语》正文。

次引见王济时，“未尝不谘论人物及万机得失”。[1]就这点而言，王济与王濛、王修是同一类人。然而他又具有似乎与上述品格相对立的特质。

据《晋书·王济传》记载，王济因个人品行的问题而被同族的王佑弹劾，他便远离官场隐居洛阳北邙山下，在当地营建豪宅，极尽奢侈之能事。王济本传中列举了很多表现其生活豪奢的事例，于个人传记而言或嫌过于详细。笔者认为《晋书》这样记载的目的，或许并非仅仅是在描述王济一个人的生活，而是试图展现当时贵族普遍的生活态度。当时的社会崇尚及时行乐，如《晋书》卷47《傅咸传》所记：“窃谓奢侈之费，甚于天灾。”关于这种奢侈生活的具体表现，《王济传》中记载了几件极端的事例：王济在洛阳购买土地，用钱填埋其中，被时人称为“金沟”；以平素喜爱的名牛来比试射术，赌注千万；和峤家有好李子，连皇帝也只求得数十枚，王济带领少年悉数吃尽，又将树砍掉才离去；

---

① 人物品评盛行是魏晋的时代特色。宫川氏曾论及，“汉末士人群体崇尚人物品评，长于评论的人被誉为有知人之鉴。通常关注人物的个性，性格表现趋于纤细。伴随着儒学独尊思想的崩坏，以老庄为首的各流派思想的融合，魏晋清谈的萌芽即在于此”。《魏晋及び南朝の寒門·寒人》，《東亜人文学報》3(2)。

以珍馐宴请皇帝，用作食材的猪是以人乳喂养的。[①]但不应忽视，王济还有与此相反的风流脱俗的一面：据《世说新语 · 言语》记载，王济曾与诸名士祓禊于洛水，又喜好孙子荆(楚)作驴鸣。这样极端的享乐主义和超凡脱俗的态度集中在一个人身上，乍看起来互相矛盾，但笔者认为或非如此。后文会对这一问题做出解释，此处先来考察王济叔父王伦。《世说新语》卷 25《排调篇》引《王氏家谱》记载："伦字太冲，司空穆侯中子，司徒浑弟也。醇粹简远，贵老、庄之学，用心淡如也。为《老子例略》、《周纪》。年二十余，举孝廉，不行。历大将军参军。年二十五卒，大将军为之流涕。"王伦的生活态度也是超然脱俗的。这样看来，我们有必要进一步探讨王伦的弟弟王湛。

王湛，字处冲，生于魏嘉平元年(249)。少有识度，及长身高七尺八寸，宽额大鼻，仪表堂堂。《晋书》卷 75 本传中记载了他政治方面的履历，但较之于此，史书的重点在于表现他的个人特点。载于史册的王湛的风

① 译者注：《晋书》卷 42 《王济传》原文为"帝尝幸其宅，供馔甚丰，悉贮琉璃器中。蒸肫甚美，帝问其故，答曰：'以人乳蒸之。'"

貌，也反映了时人关心所在。

王湛朴素少言，兄弟宗族认为他痴傻。王湛的父亲王昶最初也以为他愚蠢，王湛要娶门第低微的郝氏女时，也未予阻拦。但王昶日后意识到了王湛的真实水平。王昶去世后，王湛“闭门守静，不交当世”。与王湛性格完全相反的，是他的侄子王济。王济自恃才高，对王湛十分轻视，“于湛略无子侄之敬”。王济在吃饭时，自己面前堆满食物也并不礼让于王湛，但王湛完全不以为意，令人取菜蔬，坐在王济对面用饭。但王湛的才华最终还是为人所知。王济偶然得知王湛精通《周易》后，完全改变了对王湛的态度。在学问以外，王湛还擅长马术，又精于相马，王济在赞叹之余对叔父有了全新的认识。《晋书 · 王湛传》中，王济感慨于王湛对《周易》的造诣，叹道：“家有名士，三十年而不知，济之罪也。”虽然史书中没有直接描写王湛其人和他的生活态度，但从他和家族成员关系的记载中，确实可以看出他清虚、寡欲、脱俗。

王湛的儿子王承，时人有“祖（昶）不及孙（承），孙（承）不及父（湛）”的评价，虽然王承不及父亲王湛，但其生母郝氏，因为生养他而有美名，可见王承也非凡庸之辈。王承的性格特点可以见于其本传："清虚寡欲，无所修尚。言理辩物，但明其指要而不饰文辞，有识者服其约而能通。"王承的儿子王述是渡江之后的第二代，也是当时社会的理想类型。《世说新语·赏誉篇》记载时人的评价："谢公称蓝田(王述)：'掇皮皆真。'"《晋书》本传中又记："简文帝每言述才既不长，直以真率便敌人耳。"其他方面的逸闻，还有王导曾问王述江东米价，王述"张目不答"，令王导大为感佩；[①]谢奕曾愤而辱骂王述，但王述半日间面壁而不作答，谢奕离去后才坐回坐席。[②]

就以上所述，可以发现王柔家族与王泽家族有着共同的生活态度。那么在西晋、东晋时代的贵族之间，如何才能成为被赞赏的对象，换言之，贵族们有着怎样的生活方式？了解这一问题最好的史料即是《世说新语·赏誉篇》，其中列举了大量理想的人物形象："清真寡欲，万物不能移"的阮咸，"会见丞相，便觉清风来拂人"的王导，"神姿高彻，自然是风尘外物"的王太尉，"矫矫出尘，如云中白鹤"的刘歆，"岩岩若孤松之

① 《晋书》卷75《王述传》。
② 《世说新语·忿狷篇》。

独立”的嵇叔夜，“吐佳言如屑”的胡毋彦国。由这些人物所体现出的诸种德行，其意义均在于个人的自我实现，而非有益于人际关系或者社会关系，这值得我们特别注意。不久之前森三树三郎氏在《魏晋における人间の发见》①一文中敏锐地注意到了这点。他认为魏晋时代的贵族本质上也是官僚，但与在专制君主面前小心翼翼、地位不稳固的汉代官僚不同，他们以门阀的势力为基础，以强大的财力为后盾，是自有生活来源的自由人。魏晋时期专制主义式微，人性解放，推进这种新文化的即是这些官僚贵族。笔者认为这一观点非常值得重视。但这里还有一个问题，即门阀贵族作为这些新文化的中坚力量，是怎样思考“个人”与“家”之间关系的呢？这点是写作本书希望解决的核心问题。如宇都宫清吉所指出的：②在汉代，某种程度上实现了国家通过对家的保护而保护个人，个人通过齐家而为国家效力，儒教的家族道德，也作为国家、家、个人三者之间的纽带而具有存在的意义。在东汉以后的动乱时期，国家失去

---

① 《東洋文化の問題》第 1 号所载论文。

② 宇都宫清吉：《世说新语の時代》，《東方学報》10(2)；《漢代における家と家族》，《史林》24(2)。

了作为家的保护者的权威，与此同时，儒教的家族道德也不再能起到联结个人与国家的纽带作用。儒教的家族道德，即是对个人在社会关系中应有状态的规定。在汉代，甚至有“居家如官廷”（《后汉书·李通传》）这种说法，当时的名士是无法想象将自己割裂于社会关系之外的。魏晋时期则与此相反，用心于自我发现与自我完成被视为是理所应当的。竹林七贤中的王戎在丧中饮酒食肉；王忱醉酒后闯入其舅范宁家中，将其吊起，与宾客数十人连臂披发，绕之三圈。[①]这些非常有名的逸闻，可以看作是对儒教的反抗。前文中提及了王濛对儿子进行清谈方面的教育，从中也可以看出，相较于掌握儒教式的家族仪礼而言，教育的重点也放在了个人实现上。这里引用一条更能表现这种倾向的例子，《世说新语·排调篇》记载：

> 王浑与妇钟氏共坐，见武子（王济）从庭过，浑欣然谓妇曰：“生儿如此，足慰人意。”妇笑曰：

① 译者注：关于此事，《晋书》卷75《王忱传》记载为：“妇父尝有惨，忱乘醉吊之，妇父恸哭，忱与宾客十许人，连臂被发裸身而入，绕之三帀而出。”就《晋书》记载，王忱前往岳父家此事与范宁无涉。

“若使新妇得配参军，生儿故可不啻如此！”

王浑向妻子夸耀儿子王济，妻子则说如果不是你的孩子，是你弟弟王伦的孩子，会更加优秀的吧。这里妻子丝毫没有对丈夫的绝对服从，而是语带机锋，并表现出了即使对丈夫也毫不留情、品评人物时力求客观的精神。前文中王济轻视其叔父王湛一例，也说明并不存在对尊长无条件的尊敬。虽然日后王济对王湛有所改观，但这种改观也只是在一定限度之内的。《王湛传》记载：“(晋)武帝亦以湛为痴，每见济，辄调之曰：‘卿家痴叔死未？’济常无以答。及是，帝又问如初，济曰：‘臣叔殊不痴。’因称其美。帝曰：‘谁比？’济曰：‘山涛以下，魏舒以上。’时人谓湛上方山涛不足，下比魏舒有余。”王济评价王湛为“山涛以下，魏舒以上”，这并非是对家族中长辈无条件的敬意，最关键的还是在于“个人的价值”。

与家族道德的实践相比，更加重视个人实现的社会中，是否就完全无视家族礼仪和家族道德呢？答案是否定的，这样的一概而论是非常不可靠的。父母丧中饮酒食肉被特意记载下来，正是因为这种行为在当时是特例。相较于尊奉家族道德，实现个人价值会受到更高评价，这种情况应该也仅限于已经获得了自由的门阀贵族。事实上，建立在儒教理论上的王朝，在这一时代也非常重视家族仪礼，而孝友、孝义的行为依旧会受褒赏。虽然中国人传统的对儒教的信奉在表面上并没有衰落，但这是否是发自内心的想法，则是值得怀疑的。例如北齐的颜之推，一边称写有圣贤言论和名字的纸张“不敢秽用”，一边教育子孙应该广泛涉猎，不可盲从儒家礼制。而且颜之推承认：在某些情况下，圣贤之道不及“寡妻之诲谕”；而且圣贤的教诲，随时代推移而原貌不存，也不能适应时代的变化，因此各家有各家的生活准则。就此可以推断，他们虽然形式上还在维护儒家礼仪，但内心对儒教的信仰却在逐渐动摇。

门阀不再重视儒教家族道德，是否意味着门阀缺乏“家”的观念？事实绝非如此。作为这一观点的证据，下面将列举几个门阀之间互相攀比家世的事例。

《世说新语 · 品藻》记载有如下几例：

王修龄（胡之）问王长史（濛）：“我家临川（羲

之），何如卿家宛陵（述）？”（A）

王珣疾，临困，问王武冈（谧）曰：“世论以我家领军（洽）比谁？”武冈曰：“世以比王北中郎（坦之）。”（B）

正始中，人士比论，以五荀方五陈：荀淑方陈寔，荀靖方陈谌，荀爽方陈纪，荀彧方陈群，荀顗方陈泰。又以八裴方八王：裴徽方王祥，裴楷方王夷甫，裴康方王绥，裴绰方王澄，裴瓒方王敦，裴遐方王导，裴頠方王戎，裴邈方王玄。（C）

《世说新语 · 赏誉篇》中有：

阮光禄云：“王家有三年少：右军（羲之）、安期（承）、长豫（悦）。”（D）

大将军（敦）语右军（羲之）：“汝是我佳子弟。”（E）

文中的“家”到底有多大范围呢？上述史料中登场人物的谱系图如下。

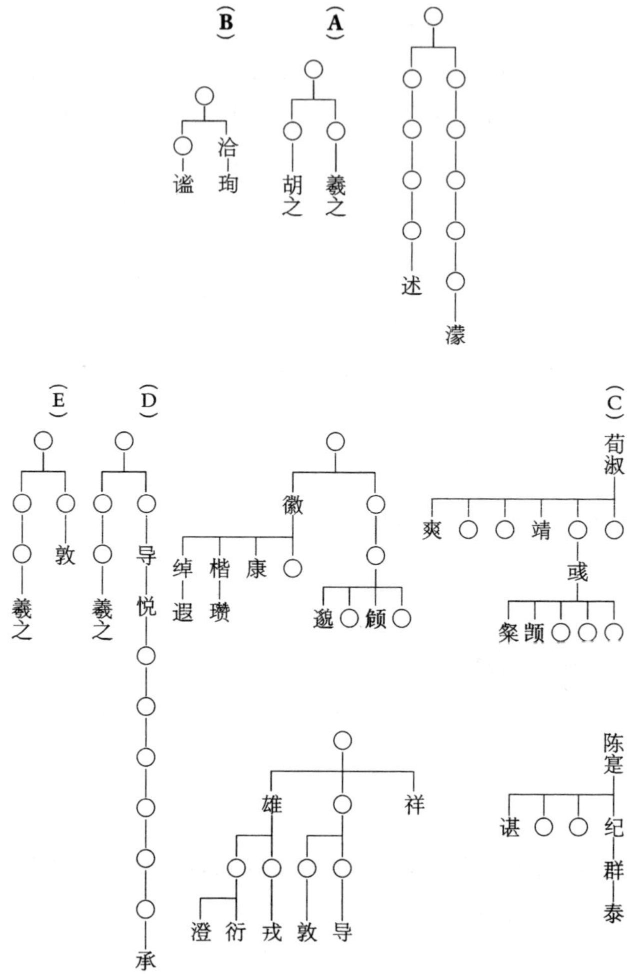

述
濛
(A)
羲之
胡之
(B)
洽
珣
谧
(C)
荀淑
爽
靖
彧
粲
顗
徽
绰
遐
楷
瓒
康
邈
颜
(D)
导
悦
承
羲之
(E)
敦
羲之
陈寔
纪
群
泰
谌
祥
雄
澄
衍
戎
敦
导

从谱系图来看，一个“家”中包含亲缘者的范围很广。也即《世说新语》所描绘的门阀贵族的世界中，“我家”、“卿家”中的“家”，绝非夫妇和孩子这样小规模的家庭，而是比《尔雅》中的“宗族”范围更大的、包括更多族人的“家”。就前述几例所见，这里涉及的人物都对这种的“家”拥有自豪感，并且明显表现出了与其他“家”进行比较的意愿。能够培育出更多的优秀个人，是属于这种广义的“家”的荣耀。即使不遵守家庭道德，成为优秀的人即是为“家”做出了贡献。

如前文所述，据《世说新语》和《吴录》，吴和会稽有四姓名族。这是江南土著氏族中选定的名族，南渡的家族之间可能也进行过类似的以“族”为单位的名族评选。冈崎博士认为东晋时期江南王、谢两族兴盛的原因在于以下两点：首先是两个家族对东晋王朝做出了政治贡献；其次，家族的地位能够长久保持主要是依靠家族成员在德行方面的修养。①笔者认为这种在德行方面的修养并不仅是伦理道德，而是前文中进行过详细分析的自我实现。因此，家族中出现越多完成了自我实现的

① 冈崎文夫《南朝貴族制の起源並にその成立》（收录于《南北朝に於ける社会経済制度》）。

个人，家族全体就越能获得美名。就这一意义而言，当时的门阀贵族作为自由人致力于自我实现，实际也为整个家族做出了贡献。下面的一例体现出了王氏、谢氏这样的名门，作为家族整体所获得的美名。陈显达曾因为自家子弟模仿谢氏、王氏（包括琅琊王氏和太原王氏）的生活态度而不悦，教训儿子陈休尚："麈尾蝇拂是王、谢家物，汝不须捉此自逐"，并烧掉了麈尾蝇拂。（《世说新语·规箴篇》）[①]麈尾即是现在所说的拂子，根据赵翼的说法，[②]是六朝人清谈必备之物。而据《宋书·王僧虔传》"好捉麈尾，自称谈士"[③]的记载推断，麈尾应该是爱好清谈的贵族阶层的重要标志。可以手持麈尾的家族与不具备这一资格的家族，是判然分明的。能够培育出许多优秀个人的家族会受到社会的肯定，与此同时，属于这一家族的个人也会宣扬这种家族荣誉感，以下引文都是这方面的例证。

---

① 译者注：查《世说新语》中无此记载，史料可见于《南史》卷45《陈显达传》。

② 《廿二史札记》卷8"清谈用麈尾"条。

③ 译者注：该史料见于《南齐书·王僧虔传》。赵翼《廿二史札记》中记为："《宋书》王僧虔戒子，谓其'好捉麈尾，自称谈士'。《僧虔传》"

《世说新语·方正篇》：王中郎（坦之）年少时，江虨为仆射，领选，欲拟之为尚书郎。有语王者，王曰："自过江来，尚书郎正用第二人，何得拟我？"江闻而止。

《世说新语·品藻篇》：桓大司马下都，问（刘）真长曰："闻会稽王语奇进，尔邪？"刘曰："极进，然故是第二流中人耳！"桓曰："第一流复是谁？"刘曰："正是我辈耳！"

《世说新语·品藻篇》：世论温太真是过江第二流之高者。时名辈共说人物第一将尽之间，温常失色。

原本门阀成立的必要条件是累世为官，从这一意义而言，门阀是政治性的概念。而以优渥的物质条件为基础，致力于"自我的完成"，并因培养出众多优异人才而获得社会的尊敬，这时的门阀就由一种政治性概念转化为一种社会性概念。

那么当时的门阀，宗族联结的意识是否强烈，又是否为这种结合做出过具体的努力呢？前文已经提及魏司徒王昶在家诫中提倡宗族救济，他在某种程度上也贯彻了这种精神，《晋书》卷 39《王沈传》中记载了父亲死后，王沈为王昶所收养。就此可以推测，在汉魏之际，从祖兄弟之间的亲缘关系是非常紧密的。亲缘关系较远的，也称为族人、族子。《世说新语·赏誉篇》引《晋安帝纪》中，提及了王国宝弟王忱与王柔家族中的王恭之间的关系："初，忱与族子恭少相善。"至于北齐，《颜氏家训·风操篇》中又有如下记载："凡宗亲世数，有从父，有从祖，有族祖。江南风俗，自兹已往，高秩者，通呼为尊，同昭穆者，虽百世犹称兄弟；若对他人称之，皆云族人。"江南有同族之内，虽相隔数代，仍称作族人的风俗，由此可以推测王氏之间互相称为族人的意识应该尚未消失。如《晋书》卷 93《王蕴传》记载："时王悦（王忱之误）来（会稽）拜墓，蕴子恭往省之，素相善，遂留十余日方还。蕴问其故，恭曰：'与阿大（王忱小字）语，蝉连不得归。'蕴曰：'恐阿大非尔之友。'阿大，悦小字也。后竟乖初好。"王忱所拜之墓，是在会稽的王柔一系的家族墓。王忱拜王柔家族墓，王蕴对王忱的性格有着透彻的了解，这些记载说明王柔、王泽两个家族之间尚存往来。但即使同族的意识还未丧失，也没有具体的家族联结的义务。特别是在南朝，随着文化的发展，个人的自我意识逐渐增强，家族中也出现了与父子兄弟分居的倾向；更不必说在此之上的、家族之间需要联结的观念应该更为淡薄。《南史》卷25《王懿传》记载："北土重同姓，并谓之骨肉，有远来相投者，莫不竭力营赡。若有一人不至者，以为不义，不为乡邑所容。仲德（王懿）闻王愉在江南贵盛，是太原人，乃远来归愉。愉接遇甚薄，因至姑孰投桓玄。"史料中的王愉即是王国宝之兄，东晋时江南的王氏，扶助同族的观念已丧失殆尽。不仅如此，同族之间还会在政治上处于对立的状态。王柔家第四代王佑弹劾王泽家第四代王济，王柔家第八代王恭弹劾王泽家第七代王国宝即是明显的例证。这些在现实中并不承担家族联结义务的族人，另一方面又在外讲"我家某比卿家某如何"（例如王柔家第六代王濛即将王泽家第五代王述视为同一家族），表现得非常亲近。这种现象乍看上去是非常矛盾的。对于这种矛盾，笔者试做出如下的解释。

三国以来实行由魏陈群提议的九品中正制。据《通典·选举典》，郡县俱置大小中正，各以当地出身的、任诸府公卿及台省郎吏的有德者担当，大小中正以下设访问一职，访问写乡里品状上交于大小中正，大小中正进一步转达给上级以选举官吏。这即是九品中正制的要点，为了受到推荐，首先需要获得乡评。大小中正和访问不一定居住于原籍地。因此即使是非常优秀的人才，仅凭自身成为被推举的对象也是非常困难的。在这种情况下，如果整个家族都受到好评的话，属于家族的个人也更容易获得被推举的机会。因此，平素完全没有用心经营家族内部关系的门阀，为确保能顺利进入仕途，也有必要尽量扩大同族的范围，宣传自己家族中名士众多。①

最后想要说明的是，前文所述的清谈家们以自我实现为目标，欣赏为达到这一目标而不惜一切的态度。就这种态度而言，清虚寡欲的风流名士与沉溺奢侈生活的贵族之间是一脉相通的。王济一边热衷于金沟与人乳猪肉这样奢侈的生活，一边又喜好清谈，从这一角度理解便不再矛盾。无论寡欲还是奢侈都要达到极致，是当时门阀贵族的风尚。先不论这种风尚的好坏，究竟是什么原因使魏晋门阀贵族如此热衷于追求极致呢？门阀贵族

① 关于这点，参见第二章第一节第 21 页注②。

所拥有的自由享乐的特权和巨大的财富当然是部分原因，但笔者认为，源于佛教信仰的追求极致的意识也产生了很大影响。那么当时的王氏族人是怎样开始信仰佛教的呢？

从王柔一系而言，对佛教的兴趣始于王濛。据《世说新语·赏誉》注引《高逸沙门传》，王濛经常到祇洹寺中拜访支遁（道林）。在和支道林的交往中，不难想象王濛会受到佛教方面的影响。王濛孙王恭对佛教的态度可以见于《晋书》本传："尤信佛道，调役百姓，修营佛寺，务在壮丽，士庶怨嗟。临刑，犹诵佛经，自理须鬓，神无惧容。"而王泽一系中，《世说新语·排调》中记载了王坦之的事迹："王文度在西州，与林法师讲，韩、孙诸人并在坐。林公理每欲小屈……"在讲论佛教时能让精于佛法的林法师都感到为难，可见王坦之对佛教造诣之深。其《晋书》本传中又记载有："初，坦之与沙门竺法师甚厚，每共论幽明报应，便要先死者当报其事。后经年，师忽来云：'贫道已死，罪福皆不虚。惟当勤修道德，以升济神明耳。'言讫不见。坦之寻亦卒。"这段记载虽然不可以完全采信，但是王坦之喜好与佛僧谈论应为事实，自不必说这也会对他的生活产生影响。

在魏晋时期门阀贵族的精神生活中，儒教的思想、对清虚脱俗的追求以及佛教的思想，并非互相矛盾，只要是有益于自我实现的，都会被无条件地吸收。[①]前文提及的王济，在父亲娶后妻时，认为不合礼法，称其为妾，这应该是儒教的思想，另一方面又以清谈家的风流为乐，生活极奢侈而毫无顾忌。王坦之信奉佛教，生活中十分自制，但又有如《世说新语·赏誉》所记载的习气："见文度虽萧洒相遇，其复愔愔竟夕。"同书《排调篇》又记："王文度、范荣期俱为简文所要。范年大而位小，王年小而位大。将前，更相推在前。既移久，王遂在范后。王因谓曰：'簸之扬之，糠秕在前。'范曰：'洮之汰之，沙砾在后。'"从这段记载中，也可以看出当时门阀贵族文化修养的多样性。

① 参考板野长八《清談の一解釈》，《史学雑誌》50(3)。

第四章

# 王氏的迁徙

## 第一节　王氏的南渡

本节中将探讨王柔及王泽的子孙，在五胡之乱的时期是如何立身处世的。从当时的情况考虑，基本有两种选择：或是与五胡中的强者合作，或是迁居他地避难。前者如王柔的三代孙王浚，是西晋的一代枭雄，任职于胡汉边境的冀州地区。当时中原地区由于八王之乱而动荡不安，王浚不得不考虑自安之策。他将一女嫁与鲜卑段氏酋长务勿尘，一女嫁与苏恕延。但是他所结交的鲜卑人后来为羯胡出身的石勒所败，他自己也受石勒袭击并且被擒（建兴二年，317），最后为石勒所杀。王氏家族与五胡的联合以失败告终。接下来我们来看王氏为避五胡之难而迁居的事例。在此之前，我们先来分析王氏一族和本贯太原之间到底有着怎样程度的关联。《全唐文》收录的《太原乡牒》中，记载了晋王卓死于河东，但因乡里太原晋阳成为胡族战乱的战场而无法归葬。如果采信这条史料的话，王卓虽然赴任他乡，但本贯地还有同姓族人，也有墓地。但通常来说，与本贯地的关联很难这样长期持续下去。事实上，王卓因战乱而失去了与本贯地的关联，在河东地方建立了新的家族中心。换言之太原王氏扩散到了太原以外的地区。门阀扩散的这种现象也可以在其他事例中见到。最为常见的是官吏在任地营建私第或别第，最终定居于此。官员永久性地居住于长安、洛阳这样的政治中心的事例颇多。就唐代墓志所见，太原王氏在洛阳定居并营建墓地的有 33 例。王氏家族中，虽然有客死任所而归葬之例，但大多数人都选择了不再归葬本贯地太原而葬于第二故乡。认为累世为官的门阀家族与本贯地的联系会永久存续，这种想法并不合理。然而需要注意的是，即使与本贯地之间已经没有实际关联，拥有了第二或第三故乡，但形式上个人的名字之前一定要冠以本贯地。关于这点还有一则有趣的故事。北魏孝文帝太和二十年，众议以薛氏为河东茂族，但北魏孝文帝予以阻拦，认为薛氏出身于蜀地，不能称为河东茂族。薛宗起等人在听闻后向皇帝进言：

“臣之先人，汉末仕蜀，二世复归河东，今六世相袭，非蜀人也。伏以陛下黄帝之胤，受封北土，岂可亦谓之胡邪！”孝文帝最终为之屈服。对薛氏而言，在决定自己的本贯时可以有三种选择：最初的居住地河东、第二居住地蜀地、第三居住地河东。群臣选取了第三居住地，但孝文帝选取了蜀地，薛氏选取了最初的居住地河东。最终薛氏的主张得到了认可。这一讨论中出现了两种对立的观点：重视现实中的居住地（众议）和重视名义上的本贯地（孝文帝以薛氏为蜀人，是重视本贯地，但薛氏提出了时代更早的本贯地）。讨论的结果是选取了重视本贯地的观点。虽然薛氏的河东说，与北魏皇室祖出黄帝的说法同样可疑，但在当时却被认为是理所当然的，从中可以看出中国人尊重本贯地的精神。[①]这种重视本贯地的风气其来有自，在同姓众多的中国社会，强调本贯地可能是为辨别出同乡的同姓。但是笔者以为，六朝时代特别重视本贯地的风气，大概还是由于以下原因：当时以九品中正制选拔官员，由中正一职负责推举人才。各州中正由出身该州的、现任中央高官的、德高

① 关于薛氏本贯的这一趣闻，笔者见于《资治通鉴》卷 140“齐明帝建武三年”条，尚未找到其原始材料。

望重的人担任。虽然他们会派遣下属官来走访调查人才，然而身在异地要掌握并挑选地方上的人才仍非易事，因此选择的基准较之于个人的德行，更易倾向于家族的名声。另一方面，只要原籍在这一地区，不居住于此也可以成为推举的对象。对于想被推举的人而言，要尽力展现出自己家族的势力之大，即使身在他乡，也必须表明自己是大家族的一员。为达到这一目的，在姓氏上冠以本贯地是最为便捷的方法（竹田龙儿氏在《唐代士人の郡望について》一文中[《史学》24(4)]中详细讨论了士人的本贯地与现住地的关系）。

王柔家中第五代孙王峤携二弟南渡，家境逐渐好转，至其子王濛、孙王蕴、曾孙王恭的时代，家族在经济生活和精神生活两个方面，都已经达到了相当卓越的水平，这点在第三章中已经进行过详细说明。

王泽家决定南迁的是王泽的曾孙王承。南迁不仅意味着会失去王氏在华北的一切，举家迁徙本身也伴随着诸多艰辛，但是王承在家人和亲信面前都没有表现出任何担忧。王承一家先于其他家族完成了南渡。当时东晋王朝通过与南渡的名族合作，尝试在江南扶植势力。因此在这一时期对东晋王朝予以协助的家族，可以在新王朝的统治下继续保有贵族的地位。①就此而言，率先南渡者较之晚来的家族理所当然会获得有利的地位。《宋书·杜骥传》记载："晚渡北人，朝廷常以伧荒遇之……（杜）坦曰：'……亡曾祖晋氏丧乱，播迁凉土，世叶相承，不殒其旧。直以南度不早，便以荒伧赐隔。……'"虽然史料记载的内容略晚于东晋，但也可以从旁证明前文的推断。《晋书·王承传》记载："渡江名臣王导、卫玠、周顗、庾亮之徒皆出其下，为中兴第一。"可见王导等名臣经王承推荐得以任用，成了第一流的贵族，而王承门第又在王导等人之上。②

带领王氏南迁的王承之子为王述，历任诸职，最后成为并、冀、幽、平四州的大中正。原本大中正的职责是选拔自己籍贯地的人才，但是王述不仅任自己本贯地并州的大中正，又兼任其他三州的大中正。这种将大权委于一人之手的做法，是王朝草创时期的特殊现象，正因为如此，担任要职的王述，在政治上的表现非常突

---

① 冈崎文夫：《南朝貴族制の起源並にその成立》，《南北朝に於ける社会経済制度》。

② 西晋末北方名族迁徙、定居南方的过程，以及南北生活习惯的不同，笔者均已在《南人と北人》一文中进行过详细的讨论，本书中不再赘述。

出。如上所述，王氏在江南确立了不可动摇的地位。

通常认为，在乱世中统治者的权力有增强的趋势，凭借协助东晋王朝而取得贵族地位的王氏拥有非常的权力，也是理所当然的。曹魏至西晋日渐发展的门第主义，在这一时期愈演愈烈。（参照第三章第一节 47 页以后内容）

王述有王坦之、王祎之、王虔诸子，王祎之早逝，王虔愚钝，因此王氏盛衰的关键系于王坦之一家。王坦之和其子所处的时代，正值江南王氏的繁盛时期。王坦之长子王恺的传记中有“兄弟贵盛，当时莫比”的说法。

时人对王坦之第三子王国宝颇多谴责：“贪纵聚敛，不知纪极，后房伎妾以百数，天下珍玩充满其室。”

如上所述，王氏在江南的王柔、王泽两家均与王朝合作，获得官位，开创了家族繁盛的局面。而正因为如此，这一家族因政治问题走向衰落的危险也更大。以下将详述这一家族衰落的过程。

王柔家的衰落始于王濛孙王恭时期。395 年，[①]东

---

① 译者注：东晋孝武帝去世于 396 年。

晋武帝被弑，会稽王司马道子摄政。王恭受到司马道子的宠信，手握重权。与此同时，司马道子听从谯王司马尚之的意见，以尚之司马王愉任江州刺史，割豫州刺史庾楷所领豫州四郡，交由王愉治理。庾楷大怒，劝说王恭讨伐司马尚之和王愉。王恭轻易地同意了这一要求，与殷仲堪、桓玄相商，被推为盟主。司马刘牢之劝说王恭有国舅之尊，不必举无用之兵。但王恭顽固不从，以讨伐王愉和司马尚之为名举兵，任命刘牢之为统帅。王恭因此与东晋王朝处于敌对状态。但为王恭所倚重的刘牢之叛变，王恭败于竹里，与弟弟王履在逃跑途中为人所捕。司马道子原本并没有打算杀害王恭，但王恭扣押京师期间，原本拥护王恭的桓玄突然背叛，[①]在建康倪塘杀死王恭。王恭的五个儿子以及弟弟王爽、兄子王和均被杀害。王柔一系基本灭亡。

接下来看王泽一系的情况。对这一家族浮沉带来重大影响的是王坦之的三子王国宝。王国宝虽然被称为“中兴膏腴之族”，但由于性格方面的缺陷，为岳父谢

---

① 译者注：《晋书 · 王恭传》记载为：“道子闻其（王恭）将至，欲出与语，面折之，而未之杀也。时桓玄等已至石头，惧其有变，即于建康之倪塘斩之。”

安所厌恶，不为所用。但他的从妹嫁给了会稽王司马道子，他受到司马道子的宠爱，一时权力显赫。王国宝之弟王忱的舅父范宁弹劾他，但是王国宝受道子庇护未被责罚，又趁机构陷范宁。后来王国宝谎称为弟弟服丧，但其实耽于享乐，逐渐失去了皇帝的信任。王国宝为重获皇帝的信任，在皇帝面前诋毁一直以来庇护自己的司马道子。由于这一策略的成功，王国宝在东晋孝武帝至安帝时期获得了极大的权势。其后，王国宝与道子和解，王国宝从祖弟王绪也成了道子心腹。此时同族王恭愤慨于王国宝所为，决心弹劾他。王国宝大为恐慌，听从王绪之计，命令王珣、车胤讨伐王恭。但二人不从，王珣还私下告知王恭翦灭王国宝之策。王国宝最后求助于司马道子，但司马道子发现情势不利，反而逮捕国宝，交付廷尉赐死，王绪也一并被杀。

以上所述内容中值得注意的是，王恭（王柔系）与王国宝（王泽系）、范宁与王国宝、谢安与王国宝，或为同族，或为姻亲，但互相压制弹劾，完全没有对待同族和亲属的宽容精神。从这点至少可以看出在南朝政坛，个人意识是优先于宗族联结的（参见第三章第三节 60 页以后内容）。

在王国宝一事之后，对王泽一系造成致命打击的是王国宝之兄王愉。他受东晋武将桓玄的庇护，曾轻侮过刘裕。刘裕举兵，势力渐强，王愉颇为不安，于是联合桓温[①]以求自保，但此计败露，王愉及子孙十余人因此被诛。

王坦之四子中，恺、国宝、忱没有后人的记载，仅三子王愉有绥、纳、绢三子，但也因王愉事为刘裕所杀。曹魏王昶以来开始崛起的太原王氏，在南渡这一重大的历史事件后，走上了繁荣之途，但终究或因为富裕与门第招致灾祸以至于毁灭，或被卷入时代的漩涡而惨遭灭族。南朝太原王氏的历史至此画上了句号。《晋书》卷 75《王绥传》也记载，"自昶父汉雁门太守泽已有名称，忱又秀出，绥亦著称，八叶(泽、昶、湛、承、述、坦之、愉、绥)继轨，轩冕莫与为比焉"，可见王氏至此确实已告一段落。但勉强维系的王氏血脉在即将断绝之际，奇迹般地竟有一人尚存，即《魏书》及《北史》有传的王慧龙。但是关于他的家世的记载，很难完全采信。因此将另起一章讨论这一问题。

---

① 译者注：据《晋书 · 王愉传》："潜结司州刺史温详，谋作乱，事泄，被诛，子孙十余人皆伏法。"王愉是与温详谋叛。

## 第二节 王氏的北归

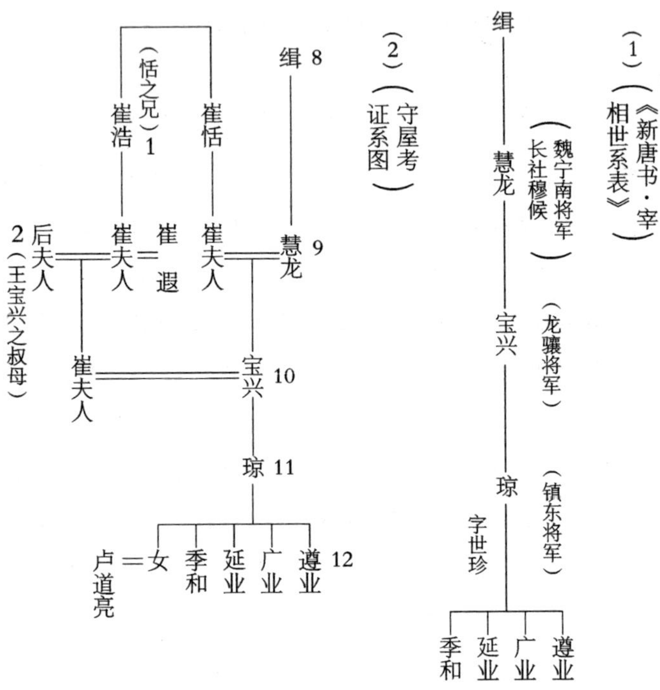


王慧龙的传记可见于《魏书》卷38及《北史》卷35。作为王愉孙、王绢子，江南王氏崩溃时，王慧龙奇迹般地幸存下来，回到了北方。但是王慧龙身边没有任何亲友，流离之际的经历似乎完全不为人所知。正史的作者似乎也感到为难，在叙述完他北归的经历之后追申“其自言也如此”，这条史料的真实性颇值得怀疑。但此处先不追究这一问题，暂且依照王慧龙自己的说法，简述他北归的经过。

刘裕诛灭王愉一族时，王慧龙仅 14 岁。为沙门僧彬藏匿百余日后，一同渡江。船夫曾一度怀疑王慧龙为王氏一族，僧彬假称其为自己的弟子蒙混过关。二人西上江陵，前往王慧龙叔祖王忱的故吏习辟疆[1]之处。习辟疆与众人相商，推王慧龙为盟主，图谋举兵反抗刘裕，但因刘裕预先知道了此事而未果。王慧龙知道刘裕会对自己不利，于是向北逃往后秦归附姚兴。

上文中关于王慧龙年少时的记载，大多基于他自己的叙述，可能包含相当程度的夸张。而更为严重的问题在于，王慧龙的身世也有可疑之处。《魏书》和《北史》中对王慧龙的记载大致相同。《魏书》起首部分的记载为：“王慧龙，自云太原晋阳人，司马德宗尚书仆射愉之孙，散骑侍郎缉之子也。幼聪慧，愉以为诸孙之

---

[1] 王忱的故吏，应当是指由王忱推举任官的人。王氏在外围保有这些势力，反映出其豪族的性质。

龙，故名焉”，《北史》中则省略了“自云”二字。这看似是微小的差别，却表现出了《魏书》的撰者北齐魏收，与《北史》的撰者唐代李延寿的立场有着根本性的不同。《廿二史札记》卷10“南北史子孙附传之例”条：“若一人立传，而其子孙、兄弟、宗族，不论有官无官，有事无事，一概附入，竟似代人作家谱，则自魏收始。收谓中原丧乱，谱牒遗逸，是以具书支派。……乃南、北史仿之而更有甚者。”对家族的关心以魏收最甚，他撰述列传的重要目的之一就是重整丧乱中混乱的家系。依据魏收《魏书》而编纂的《北史》，受到《魏书》很大影响，如赵翼所指出的，有的地方甚至仿之而过甚。但就评判家族谱系的严格程度而言，唐代的李延寿与魏收是无法相提并论的。魏收所生活的时代，对家系的评判是基于现实的需要。前文《王慧龙传》中“自云”二字，应该可以视为是魏收对王慧龙出身的严格批判。那么魏收怀疑王慧龙身世的依据是什么呢?《魏书》本传中记载：“及鲁宗之子轨奔姚兴，后归国，云慧龙是王愉家竖，僧彬所通生也。”《北史》中删除了这段记载，但魏收引用这一内容，应该是多少认可其真实性的。王慧龙是否继承了王氏的血统，在当时就已经受到相当程度的争议。《魏书》本传中又记："初，崔浩弟恬闻慧龙王氏子，以女妻之。浩既婚姻，及见慧龙，曰：'信王家儿也。'王氏世齇鼻(鼻梁高)，江东谓之齇王。慧龙鼻大，浩曰：'真贵种矣。'"崔浩以王慧龙的鼻子确定他为王氏子，只是判断标准非常含糊，因此他在听到鲁轨的话后想必也非常苦恼。如《魏书》所记："浩虽闻之，以女之故，成赞其(王氏)族。慧龙由是不调。"可见崔浩也难掩内心的怀疑。王慧龙是否为王氏一族大概只能是千载的疑问了。

讨论王慧龙，不得不提的问题是，自江南而北归之人的命运。北魏泰常二年(417)后秦灭亡后，王慧龙首次见到了北魏太宗。对刘裕抱有怨恨的王慧龙，与同样敌视刘裕的太宗意气相投，被拜为洛城镇将，领兵三千。但是任官后不久太宗去世，世祖太武帝即位，臣僚建言"南人不宜委以师旅之任"，王慧龙遂被免官。其后《魏书》中又有如下记载："(崔浩)数向诸公称其美。司徒长孙嵩闻之，不悦，言于世祖，以其叹服南人，则有讪鄙国化之意。世祖怒，召浩责之。浩免冠陈谢得释。"王慧龙临终前对功曹郑晔留下了这样的遗言："吾羁旅南人，恩非旧结，蒙圣朝殊特之慈，得在疆场效命……身殁后，乞葬河内州县之东乡……”王慧龙如此恳切地请求将自己埋葬于某一地点，是因为当时对南人的葬地有特别的规定：“时制，南人入国者皆葬桑乾。”从以上史料可以看出，华北王朝及朝中的汉人官僚是如何对北归南人白眼相向，在这种氛围下，为融入这一环境，王慧龙需要付出怎样的容忍是不难想象的。明明接纳了数代之前同样出身华北的人，当时的华北人为什么又要对这些南人另眼相看呢？这大概是由于在东晋百年之间，南北的生活习惯和日常情感产生了巨大的差异。出生于梁、任官于北齐的颜之推所著《颜氏家训》中，随处可以见到对南人、北人的比较，反映了南北存在差异的事实。①王慧龙在北魏任并、荆、扬三州大中正，历任武官，卒于440年(太平真君元年)。

王慧龙投奔北朝之际，应当没有什么经济实力，作为南人又为北朝朝臣所轻视。然而北朝重臣、河北名族崔浩之弟却与其联姻，这点值得特别关注。如果进一步质疑一些细节，还有一些不合情理之处。崔浩是北魏太武帝时期寇谦之道教改革的重要支持者，排斥信仰胡神

① 参照拙稿《南人と北人》，《東亜論叢》第6辑。

的佛教，[①]而王慧龙与僧彬关系密切，墓所也设于佛寺，其人受到佛教很大影响。那为什么崔氏还是与王慧龙联姻了呢？应该是时人对王氏这一家世有着崇高的敬意。这一点从崔氏族人非常在意王慧龙的出身中也可以看出。名族的声望，比现实的宗族联合与经济实力更加重要。

如前文所述，六朝初期以来寒族逐渐放弃了与名族交往，与此相应名族也日益固步自封。比如北齐崔㥄对卢元明讲“天下盛门唯我与尔”，宋荀伯子对王弘称“天下膏粱，唯使君与下官耳”。这种自矜门第的风气发展到极致，逐渐产生了希望保持血统纯粹性的想法。《魏书》卷93《赵邕传》记载：“（邕）与范阳卢氏为婚，女父早亡，其叔许之，而母不从。母北平阳氏携女至家藏避规。”又同书卷56《崔武传》记载：“（崔）巨伦有姊，明惠有才行，因患眇一目，内外亲类莫有求者，其家议欲下嫁之。巨伦姑赵国李叔胤之妻，高明慈笃，闻而悲感曰：‘吾兄盛德，不幸早世，岂令此女屈事卑族！’乃为子（李）翼纳之，时人叹其义。”这两条均为赵翼《陔馀丛考》卷17“六朝重氏族”条所引用，从中

① 宫川尚志：《六朝宗教史》，第134页。

可以看出范阳卢氏和博陵崔氏对于血统的重视。

由家族门第导致的通婚限制，已经被仁井田博士概括为“身份性的内婚制”并予以介绍，①此处不必详论。但是进入北魏以来，王氏在这一方面的倾向非常明显，这里希望稍作探讨。王氏的通婚对象主要是崔氏与卢氏。为免叙述繁杂，用下图来进行说明。

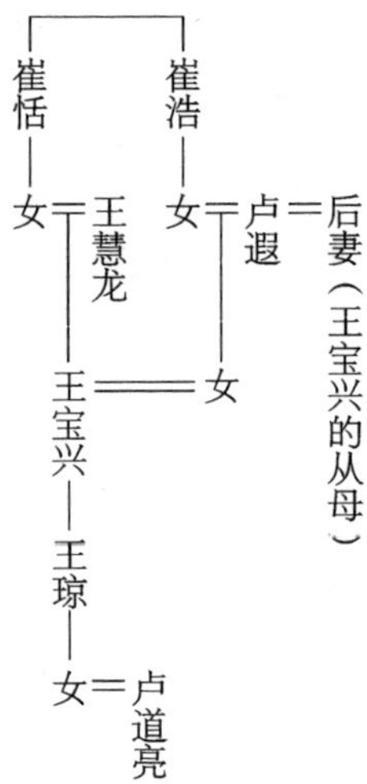


① 仁井田陞：《六朝および唐初に於ける身分的内婚制》，《歴史学研究》5(8)。《支那身分法史》第5章。据《新唐书·李义府传》，北魏太和以来，太原王氏以下的七姓望族之间互相通婚，而不允许他姓的介入。

从上图可以看出名族间通婚之盛，特别值得重视的是王宝兴与卢遐之女的婚姻，据《王宝兴传》记载："初，宝兴母及遐妻具孕，浩谓曰：'汝等将来所生，皆我之自出，可指腹为亲。'及婚，浩为撰仪，躬自监视。谓诸客曰：'此家礼事，宜尽其美。'"与这一事例相似，《南史 · 韦放传》中也有韦放妻与张率妻同时怀孕，指腹为婚之事。如前文所述，婚姻中婚姻当事人的意愿常常被忽视，甚至会出现这种指腹为婚的极端情况，而这样做的目的正是为了保持血统的纯粹性。①

还有一点值得注意的是，婚后妻子出身家庭(外家)的权力。虽然在崔浩的事例中，崔浩的权力可能起到了重要的作用，但就由妻子父母的意见决定女儿婚姻这点而言，外家的地位确实不容小觑。《魏书》卷38《王琼传》记载："琼女适范阳卢道亮，不听归其夫家。及女卒，哀恸无已。琼仍葬之别所，冢不即塞，常于圹内哭泣。久之乃掩。"这也是外家父母无视夫家之例。北齐颜之推在《颜氏家训 · 风操篇》中不时提到对母党和妻党中成员的称呼问题，可见当时的士人家族与外家之间

---

① 诸桥辙次：《支那の家族制》，第45页。诸桥认为指腹婚是南北朝乱世时期礼仪崩坏所致，但笔者对此持有不同见解。

保持着相当紧密的联系。

北归的王氏在经济方面没有什么实力。王慧龙的儿子王宝兴，在崔浩被杀后避难逃亡。王宝兴的从母，即卢遐之妻也受到崔浩一事的牵连，被官府赐给高车滑骨。王宝兴变卖家产将其赎回，因此陷入贫困。王宝兴的儿子王琼，长女为高祖纳入后宫，由此荣进，成为光州、兖州等州刺史。但王氏并没有恢复旧日的豪族气象。王琼在都城拥有宅地，但与司空刘腾的府邸相邻，一直以来都有被刘腾吞并的危险，他因不肯相让而长期受到压制。王琼还曾路遇太保广平王怀，向其求取马及马具，又从领军元叉处获赠马匹和奴仆，这些都说明王琼在经济方面并不宽裕。太原王氏的绝世风华，在困窘生活的逼迫下日益衰颓。王诵对此曾感慨道："东海之风，于兹坠矣。"

第五章

# 门阀制到官僚制

## 第一节　大房王氏的盛衰

据《宰相世系表》，北魏王琼有四子（遵业、广业、延业、季和），大房王氏出自长子遵业，二房王氏出自二子广业。本节将在追溯这两房王氏系谱的同时，致力于发现应该在历史上出现过的第三房王延业与第四房王季和的子孙。首先必须界定“房”的概念。中田博士引用《魏书》卷87《李几传》“七世共居同财，家有二十二房，一百九十八口”这条史料，作出了以下解释：“大家族内由父母子孙所组成的小家族，即为房。”[①]就中田博士引用的例子所见，“房”被视为累世同居的家族

① 中田薫：《唐宋時代の家族共産制》，《国家学会雜誌》40(7)，第19页。仁井田博士关于“房”的见解与中田博士大致相同，但是仁井田氏特别指出“房”也可以表示“宗族的分派”。（《支那身分法史》第2章）

(1《新唐书·宰相世系表》

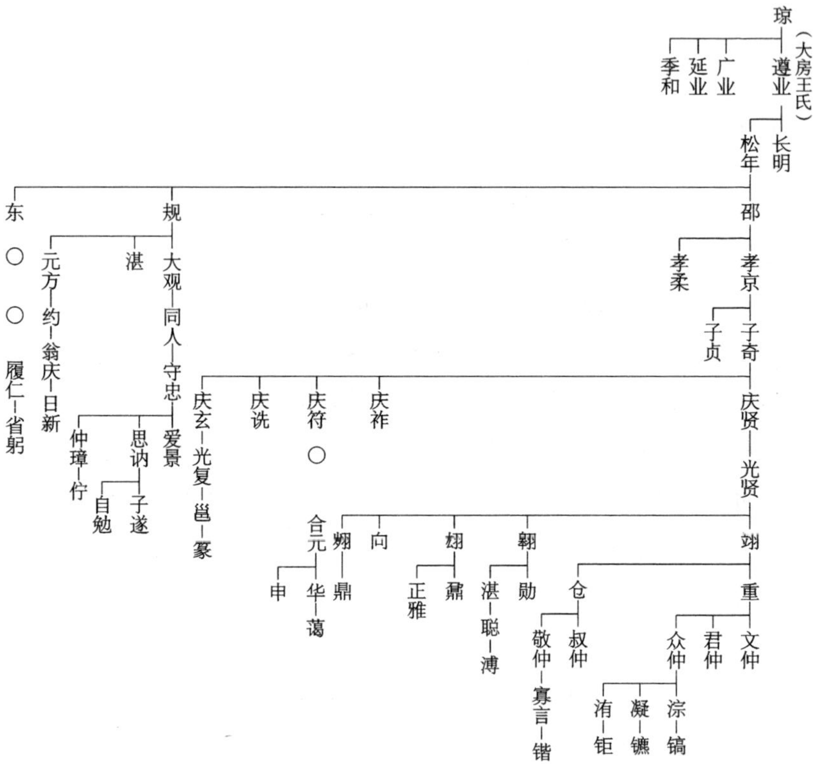
琼
（大房王氏）
遵业
广业
延业
季和
长明
松年
邵
规
东
孝京
孝柔
子奇
子贞
庆贤
庆祚
庆符
庆诜
庆玄
光贤
光复
邕
冡
翊
翱
翃
向
翢
合元
重
仓
勋
湛
聪
溥
鼐
正雅
鼎
华
蔼
申
文仲
君仲
众仲
叔仲
敬仲
寡言
锴
淙
镐
凝
镳
洧
钜
大观
同人
守忠
爱景
思讷
子遂
自勉
仲璋
伫
湛
元方
约
翁庆
日新
○
○
履仁
省躬

(2) 守屋考证系图（与《世系表》相同的部分记作下略）

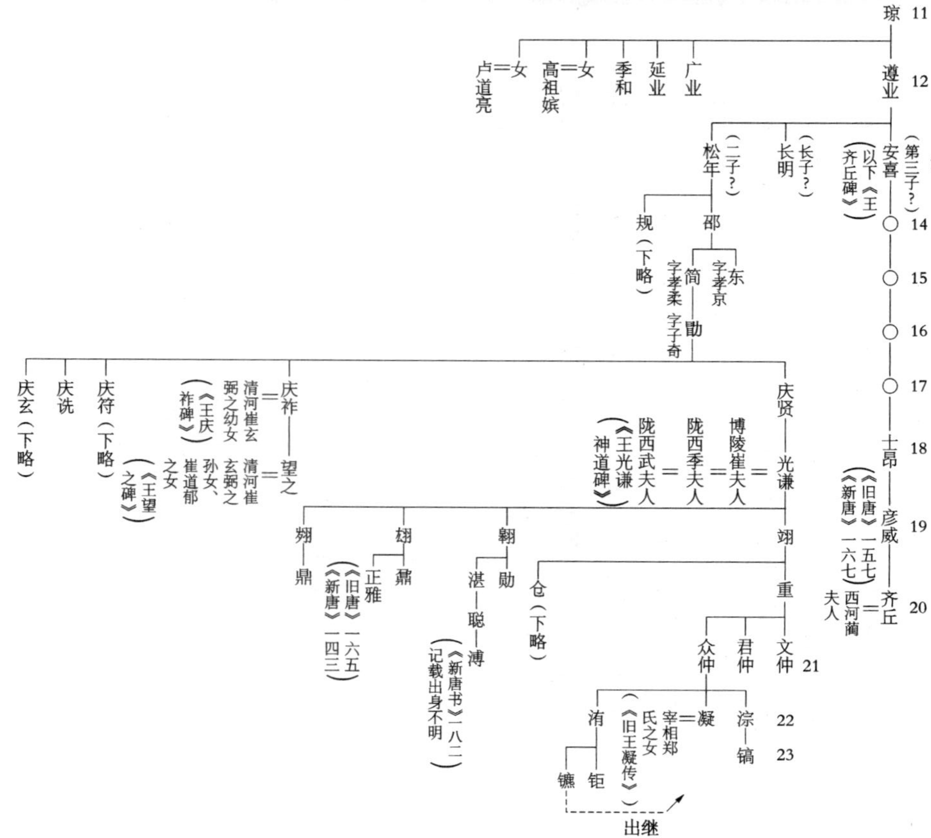

中的支派。但不限于此，“房”也可以视作是一个家族中派生出来的祭祀集团。《唐柳先生文集》卷 41 中收有柳宗元祭祀同祖异父弟柳宗直（字正夫）的祭文：“汝又继终两房祭祀，今已无主。吾又未有男子，尔曹则虽有如无。一门嗣续，不绝如线……知在永州，私有孕妇，吾专优恤，以俟其期，男为小宗，女亦当爱。”既然是继承两房祭祀，那么可以认为两房在形式上是分离的。继承祭祀者被称为小宗，那么可以将“房”视为一种祭祀的集团。据《新唐书 · 高俭传》，唐代名门，一姓之中又分为房与眷，眷房之中又有高下之别。[①]由此可以认为，一姓之中，房与房也是互相独立的集团。滋贺秀三氏曾对此做出过精要的解释：“儿子成婚后，在以父母为尊的大团体中，又成立了以子夫妻为尊、包括将来会出生的子女的小团体，这即是对家而言的‘房’。”（《中国家族法论》，第 168 页）

王琼有四子，时人称赞为“英英济济，王家兄弟”。长兄王遵业“风仪清秀，广涉经史，进为黄门郎，俊才之誉颇高”，大房王氏始自此人。

---

① 译者注：《新唐书 · 高俭传》中记载：“然每姓第其房望，虽一姓中，高下县隔。”

《世系表》记载的王遵业二子长明、松年中，王长明的后人全然不明。与此相反，王松年的后裔在唐中叶以后非常繁盛。王松年的传记，仅见于《魏书·王慧龙传》的附传中，他在北齐曾任尚书郎中。关于这前后王松年的生活状态，史料中留存了有趣的记载。《颜氏家训·风操篇》云："(北朝顿丘人李构)父奖，为扬州刺史，镇寿春，遇害。构尝与王松年、祖孝徵数人同集谈宴。孝徵善画，遇有纸笔，图写为人。顷之，因割鹿尾，戏截画人以示构，而无他意。构怆然动色，便起就马而去。举坐惊骇，莫测其情。祖君寻悟，方深反侧，当时罕有能感此者。"这段史料虽然不是对王松年的直接记录，但是了解他身边士人风气的有趣材料。祖孝徵开玩笑裁断了人像，同座的李构看到后，想起自己被他人杀害的父亲，一时情难自已。李构变色离席的做法，被视为是孝顺的表现，但笔者却从李构的悲伤中看到了南北朝士人的纤细感情。王松年生活于这种充满文人气息的环境之中，在学问方面有着相当的造诣。北齐时，他批评魏收所撰《魏书》而惹怒文宣帝，因此获罪。岁余被赦，历任临漳令、司马、别驾，后成为本州大中正。太原王氏中许多人担任过并州大中正(王峤、王述、王坦之、王蕴、王慧龙、王琼、王松年、王元季、王季和)，王松年也在此列，所处时代较晚。因此王氏直至南北朝末期，一直掌握着在官场扩大势力的机会。这正是这一门阀家族繁盛的最大原因。

根据《世系表》，松年有三子，按长幼之序为邵、规、东，生活于南北朝末至唐初。《北齐书》卷35云："(松年)第三子邵，最知名"，《北史》卷35则记为"(松年)第二子邵最知名"，与《世系表》中的顺序不同。《世系表》中以王邵为长子，可能是因为王邵及其子孙在大房王氏中最为知名，被误为长子。但是王邵的兄弟王规(或为兄)及其子孙，不见于《世系表》之外的其他史料。那么这里应该对大房王氏中最为繁盛的王邵一支进行探讨。

大房王氏一族以学问著称。王邵祖父王遵业著有《三晋记》，父亲王松年具有批判《魏书》的学养。王邵少喜读书，大概也是受到这种家风的影响。他在文林馆时，与祖孝徵、魏收、阳休之等相聚讨论古事，当时大家有一处典据不明，王邵立刻做出了正确的解答。北齐灭亡至于隋代，王邵能够继续任新王朝的著作佐郎，也是因为他相较于政治，更多活跃于学问方面。隋文帝时，王邵因在家私著史书而获罪，后来著作的价值得到认可，被任命为史官参与修史。学问不受王朝兴亡影响，有永恒的价值。王邵[1]在20年间专心著述，《隋书》80卷、编年体《齐志》20卷、纪传体《齐书》100卷、《平贼记》3卷、《读书记》30卷等相继问世。王邵三代孙王光谦的神道碑中记载王邵“以勋华文学，复大其门”，正体现了这一家风。南北朝门阀时代结束进入隋唐时期，科举制度推行之后，这一家族依然繁盛如旧，正是因为重视学术的风气恩泽后世，族人可以轻松地适应新的考试制度。接下来我们将对王邵之后大房王氏的盛衰进行考察，《世系表》的记载如下所示。

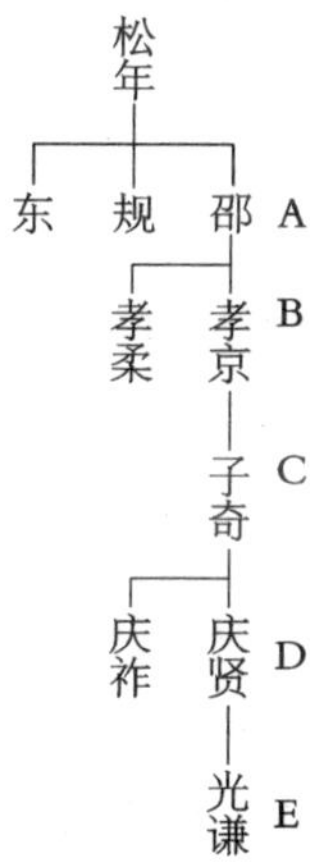


① 同样的情况也见于北齐学者颜之推。参见拙稿《顏之推とその時代》（白山史学会编《人物と時代》所收）。

但据碑文，可绘制出如下系谱图。

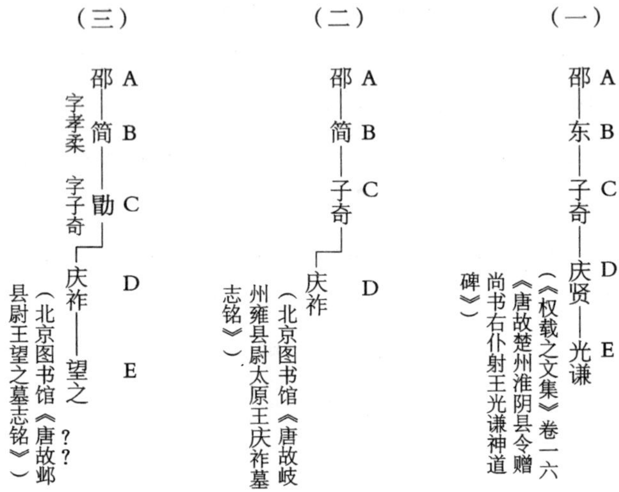


以上三通碑文与《世系表》之间有若干不同之处。下文将对这些不同之处进行考证。

碑文中可信度最高的应该是（三）王望之碑，其中明确记载了世代祖先的名讳与字，其次值得采信的是（二）王庆祚碑，基本与望之碑相同。以此二碑的记载与《世系表》进行比对，可以发现《世系表》（B）（C）部分，名与字混同，又将（C）子奇误为（B）孝京之子，而王子奇应为王孝柔之子。那么《世系表》

中(B)部分记作孝柔兄的孝京是否为架空人物呢？其人完全不见于记载，一种可能的推测是王孝京为光谦碑中王东的字。光谦碑中(B)王东为子奇(勖)父，这明显有误，但这里出现王东这一名字，表示还存在一位与王简(字孝柔)同辈的人物。前文已经提及，《北齐书》中将王邵记作王松年第三子，《北史》中则记作第二子。《世系表》中，邵、规、东的长幼顺序完全颠倒，将王邵作为长子的原因，前文已经做出过推论，但是王邵究竟为第三子还是第二子尚无法断定。就史料的成书时间而言，《北齐书》［唐李百药撰，贞观十六年(636)成书］要早于《北史》［唐李延寿撰，高宗时期(650—683)成书］，因此可以认为是《北史》在抄写《北齐书》时将“三子”误抄作“二子”。但李延寿世代居住于北方，应该保存有相当准确的史料，或许是基于这些史料将《北齐书》的“三子”改为“二子”。如果是这样的话，《世系表》中A部分的“邵、规、东”应为“规、邵”，B部分的“孝京、孝柔”应为“东字孝京、简字孝柔”。通过以上考证，笔者将《新唐书》世系表修订如下。

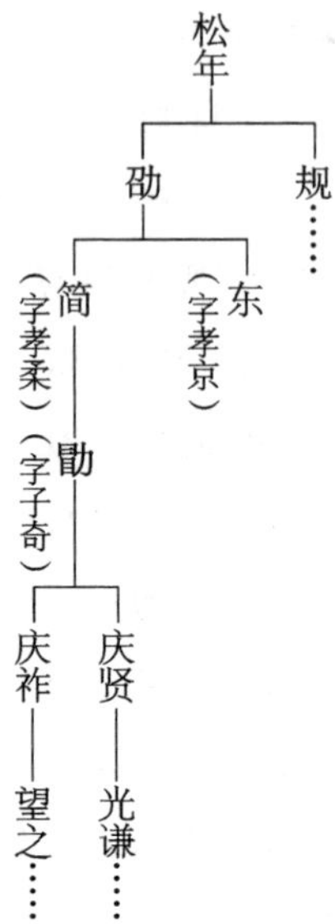


《世系表》中关于光谦以后的记载基本正确，不必再进行繁琐的考证。但这一家族在隋末唐初都没有出现特别的高官，这可能反映了这一时期王朝方面对名族进行压制的情况。但中唐至晚唐时期，这一家出现了许多进士：王光谦第三子王翃、王翃第二子王正雅、王正雅从子王众仲、王众仲子王凝等。这即是这一家族被称为鼎族的原因。但这里的鼎族，是指在唐王朝统治下的官僚名门，并非是可与王朝抗衡的豪族。这点可以从这一家族成员对地方豪族的态度中看出。《旧唐书》卷165《王正雅传》记载："元和十一年，拜监察御史，三迁为万年县令。当穆宗时，京邑号为难理，正雅抑强扶弱，政甚有声。"同传中又记载王凝事如下："凝性坚正，贡闱取士，拔其寒俊，而权豪请托不行，为其所怒，出为商州刺史。"从这两条史料中可以看出，当时大房王氏关于门阀的特权意识已经完全消失。

六朝门阀蓄积财富的第一步大都是凭借官僚的身份，接受俸禄、赏赐或赠予。而唐代官员则会在此之外，进一步收取驿站、市场、外国贸易中的中间利益。但并不能认为他们积累财产的手段与六朝时期全然不同。像王凝这样在华州敷水（陕西省华阴县）拥有别墅，可以想象他也是控制庄园的领主。但是六朝门阀与唐代官僚还是有如下的本质性区别：（一）对王朝的服从意识有根本性的差异；（二）六朝门阀中中正官辈出，掌握进入官场之便，又将故吏纳入自己家族的势力范围，在官方制度中导入了私人关系，这种情况在唐代官僚身上已经完全消失了；（三）六朝门阀无论在现实中是否进行家族内的联结，但即使是非常疏远的同姓也被视为同族，但唐代官僚仅对同一房的人有亲缘意识，有时甚至对一房之内的成员，同族意识也非常淡薄。

下面试举几例，说明大房王氏同一房成员之间亲缘意识也非常淡薄。这与《世系表》记载的这一家族最后一位成员王溥有关。据《世系表》：“溥字德润，相昭宗。”《新唐书》卷182则记载为：“王溥字德润，失其何所人。”他人的情况暂且不论，但已经成为宰相的王溥，为何在《新唐书》中有如此矛盾的记载呢？大概是《世系表》利用了墓志铭等其他材料，努力寻求王溥的身世，最终将其归入大房王氏。但大家并不认为王溥的出身有很大问题，王溥自己也没有对出身进行过太多的说明，因此列传的作者才记作“失其何所人”。如果这一推测无误的话，可以认为即使作为王氏正统的大房，家族的意识也已经日渐淡薄，更不会有家族联合的事实。

## 第二节　关于二房王氏

本节将对二房王氏进行考察。《世系表》中可以见到北魏王广业子王野父、王季贞之名，尤其是王野父的后人在唐代似乎非常繁盛(据《北史》卷35，王广业还

(1) 《新唐书·宰相世系表》

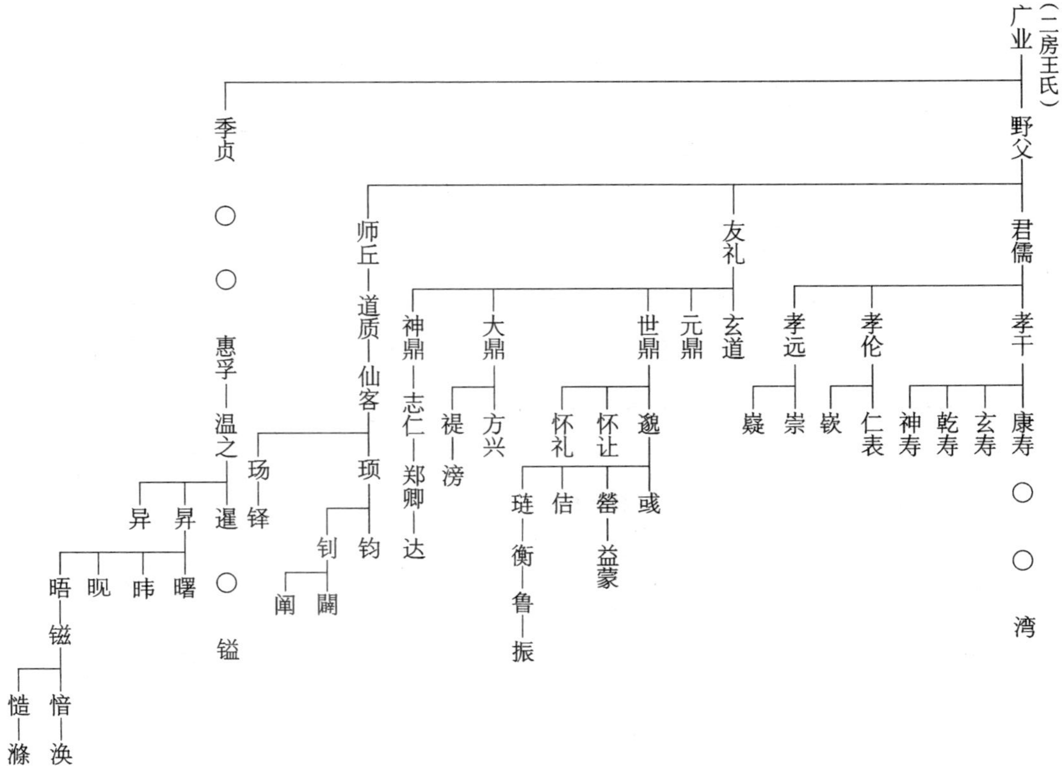
（二房王氏）
广业
野父
君儒
孝干
康寿
○
○
湾
玄寿
乾寿
神寿
孝伦
仁表
嵚
孝远
崇
嶷
友礼
玄道
元鼎
世鼎
邈
彧
怀让
罄
益蒙
怀礼
佶
琏
衡
鲁
振
大鼎
方兴
禔
滂
神鼎
志仁
郑卿
达
师丘
道质
仙客
项
钧
钊
闢
阐
玚
铎
季贞
○
○
惠孚
温之
暹
○
镒
昇
曙
晔
觋
晤
镃
愔
涣
慥
滌

(2) 守屋考证系图

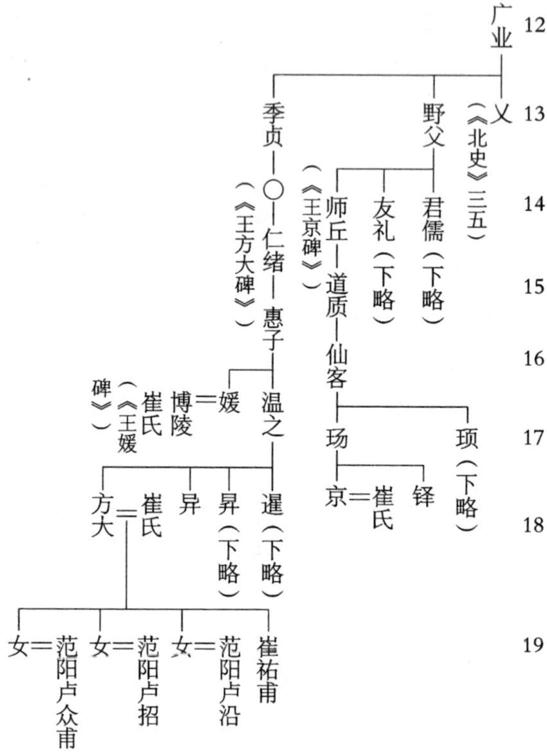


有一子王乂，或因夭折之故而为《世系表》所省略)。虽然《世系表》中明确记载了第二房扩大的情况，但表中的这些人物均不见于列传，因此很遗憾无法对二房王氏的生活进行讨论。而这里希望探讨的是王广业子王季贞这一系统，笔者发现了可以补充《世系表》相关内容的碑文。《有唐太原郡太夫人王氏墓志》（河南省立博物馆藏）记载：

初夫人之终也，以开元廿三年十月廿七日权窆于邙山。

夫尚书左仆射孝公为志曰：

夫人姓王氏字方大，太原晋阳人也……周汉以降，代为著族。夫人即后魏龙骧将军慧龙之九代孙也，曾祖仁绪，隋文林馆学士，大父惠子隐居不仕，孝温之，皇朝郓州录事参军。并富仁由道，命不祐能。夫人……年有十八，归我崔氏。先夫人属有沉绵之疾，夫人服勤就养，诚孝纯深，虔奉诸姑，和敬娣姒，慈抚犹子，礼协宗姻……享年五十，以开元廿二年六月廿六日，毕终于东都崇政里第……夫人有一男三女……

太原太夫人之子祐甫，仕为朝散大夫，权知中书舍人事，赐紫金鱼袋，长女适芮城尉范阳卢沿，次女适冠氏尉范阳卢招，少女适临汝郡司户参军事范阳卢众甫，并早卒。永泰二年，祐甫为尚书司勋员外郎属……

通过这一碑文，我们可以补充未见于《世系表》的王方大夫人及其曾祖仁绪之名，还可以将《世系表》中的“惠孚”订正为“惠子”。而更为重要的是，通过这一碑文，可以清晰地看到唐代中叶山东名族之间的通婚情况。

严格来说，墓志中涉及王氏通婚的仅有一例，即崔氏与王方大的婚姻，其余几例均为崔氏与卢氏间的通婚。《唐故朝散大夫汝州长史〇平县〇〇〇……》（北京）墓志中还有如下记载：“夫人姓王氏，讳媛，字正一，太原晋阳人也……祖仁绪，隋文林馆学士，父惠孚，不事……我安平公博陵崔府君……”[①]此碑文字漫漶，难于辨认，但也不失为可以证明崔氏和王氏之间通婚关系的一则史料。

---

① 译者注：《唐故朝散大夫汝州长史〇平县〇〇〇……》或为《有唐朝散大夫守汝州长史上柱国安平县开国男赠卫尉少卿崔公墓志》，拓片参见《北京图书馆藏中国历代石刻拓本汇编》第 27 册，第 169—170 页；录文参见周绍良主编《唐代墓志汇编》下册，上海古籍出版社，1992 年，第 1801—1803 页。但作者引文似引自《有唐安平县君赠安平郡夫人王氏墓志》，拓片参见《北京图书馆藏中国历代石刻拓本汇编》第 27 册，第 167—168 页；录文参见《唐代墓志汇编》，第 1803—1805 页。

可与第二房谱系相参照的，还有《唐故中散大夫荥阳军长史崔府君故夫人文水县君太原王氏墓志》（北京）。

> 夫人讳京，字海无量，太原人也……晋有尚书令述，魏有龙骧将军琼……曾祖道质隋主爵郎……祖仙客……父玚，朝散大夫官尹府丞……夫人即官尹府君之元女也……（天宝十一载）十月申丙弃背于怀仁里之私第，春秋六十有六……

这一碑文内容与《世系表》的记载基本一致，但志主王京之名及其与崔氏通婚事均不见于《世系表》，可补其阙。

## 第三节　失却的家系

如前所述，北魏王琼长子所出为大房王氏，次子所出为二房王氏。此外，王琼还有三子王延业和四子王季和。《世系表》中理应存在三房王氏和四房王氏的谱系，但却未见记载。《北史》卷35云：“广业弟延业，博学多闻，颇有才藻，位中书郎。河阴之役，遂亡骸骨。”王延业被卷入了北魏武泰年间(528)的战乱(详细情况参照冈崎文夫《魏晋南北朝通史》，第390页)，因而可以认为他没有留下后人(应即第三房)。但即使如此，第四子王季和应该还是留有子孙的。笔者将尝试重新发掘这一失却的家族。

(1)《新唐书·宰相世系表》

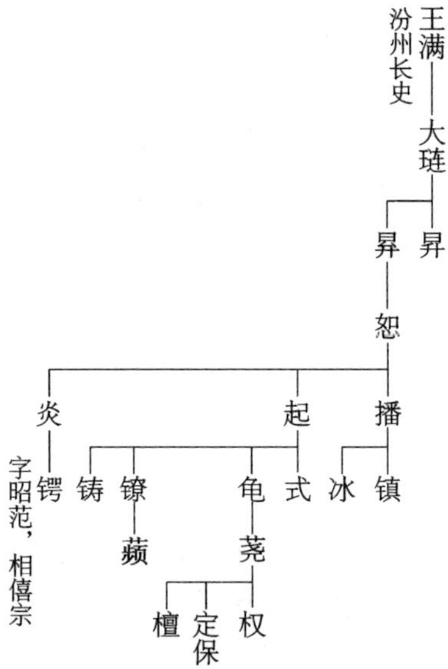

(2) 守屋考证系图　（虚线表示直接采用《世系表》中的内容）

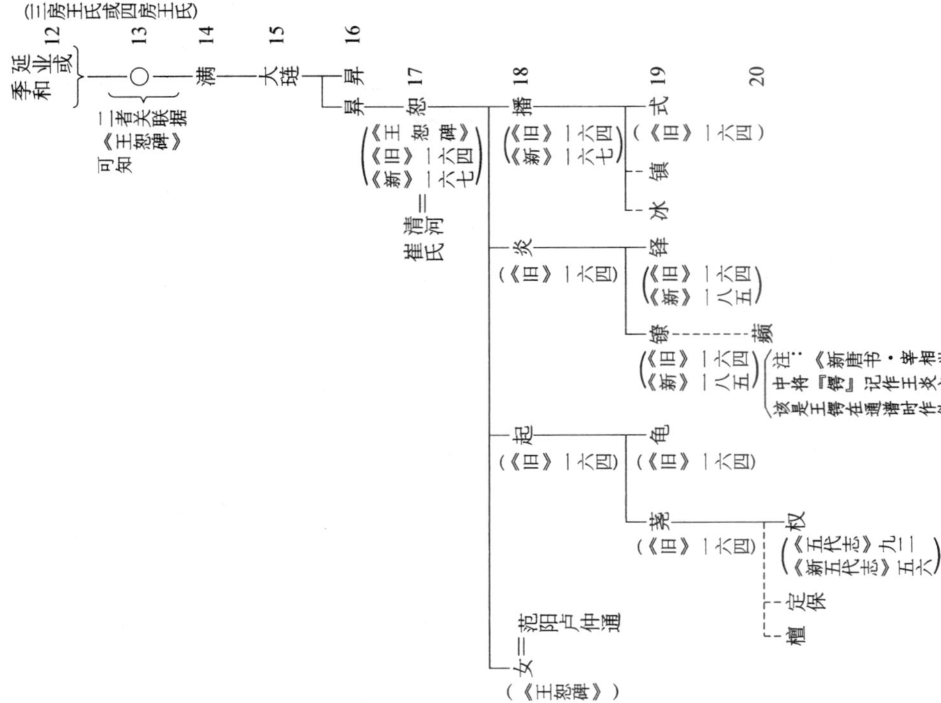

《白氏长庆集》卷25《唐故扬州仓参军王府君墓志铭并序》记载："公讳某，字士宽。其先出自周灵王太子晋，凡二十一代而生翦，翦为将毕夫。二世而生珣，珣居太原，故今为太原人。又十九代而生琼，琼为后魏仆射，谥孝简公。又二代而生曾祖讳满，官为河南府王屋县令。王父讳大琎，为嘉州司马。父讳昇，为京兆府咸阳令、河南府伊阙令……公即伊阙第三子……(建中)四年七月二十六日，疾殁于江阳县之私第，春秋六十二。夫人清河崔氏……有子曰播、曰炎、曰起……昆弟三人，不十年而五登甲科，时论者荣之。一女适范阳卢仲通。"志文的作者白居易曾与文中的王起共事，应对王起家事知之甚详，因此这一史料的可信度颇高。再次回到《世系表》的记载，将其中总结的诸家系列举如下：(一)大房王氏(二)二房王氏(三)河东王氏(四)乌丸王氏(五)王冏五世孙王元政家(六)中山王氏(七)汾州长史王满子大琏家(八)华阴王氏。不难发现，以上诸家系中(七)这一系统与前文王士宽墓志的记载完全相同。笔者认为可以将《世系表》(七)的"汾州长史王满子大琏家"视为王氏三房或者四房。

但是以记录世系为目的的《世系表》，为何将这一系与其大房、二房完全区别开来呢？笔者以为可能是因为在唐代，三房或四房与他房之间无甚交往，也没有作为同族的意识。如果这一推断成立的话，可以认为六朝门阀的家族意识确实日渐丧失。

此处试以《旧唐书》卷164《王播传》的记载为例，说明王氏这一系的成员并不在意家族是否强大。王播为前引墓志志主王士宽之子，任官于德宗、顺宗、文宗时期，大和元年(827)成为宰相。其本传记载："播出自单门，以文辞自立。"可以看出这一房没有任何作为门阀的自豪感。《新唐书》卷167《王播传》还记载王播为官颇有循吏之风："邑中豪强犯法，未尝辄贷，岁终课最。"

这一品质在王播的弟弟王起身上也可以看到。穆宗长庆元年(821)，钱徽任礼部侍郎，负责选拔贡士。但他接受朝臣请托，选拔十分不公。时任翰林的元稹、李绅认为如此下去，弊害甚深，于是起用白居易与王起进行覆试(再次考试)。覆试的具体方法主要以王起的意见为参考，覆试结果暴露了钱徽的不正之行而被免官，王起继任礼部侍郎。《旧唐书·王起传》中王起形容当时情况如下："势门子弟，交相酬酢，寒门俊造，十弃六七。”①王起与受到不公待遇的寒门士子站在同一立场，他已经脱离了家族的门第主义而倾向于循吏式的为官之道。

这一家族9世纪初以来的谱系，《世系表》中的记载错处颇多。若一一详述订正的过程未免繁琐，考证结果请参看本章开始部分的谱系图。

接下来我们对上表中王播、王炎、王起等家进行简单的叙述。前文已经提及王播为唐代循吏，但另一方面，他也受到过这样的批评："践升华显，郁有能名。而随势沉浮，不存士行，奸邪进取，君子耻之。"（《旧唐书》卷164）这里虽然没有明确记载，但可以想象他作为官僚蓄积资产的情形。从其子王式以门荫入仕也可以看出王播的权势，更值得注意的是，王式累迁为徐州节度使。安史之乱以来，唐朝苦于节度使的跋扈，这点已经不必赘述。脱去旧门阀外衣而进入官僚阵营的王氏，如今又摇身一变成了手握重权的节度使。那么王播之弟

① 译者注：引文部分并非王起所言，参《旧唐书》卷164《王起传》："其年，钱徽掌贡士，为朝臣请托，人以为滥。诏起与同职白居易覆试，覆落者多。徽贬官，起遂代徽为礼部侍郎，掌贡二年，得士尤精。先是，贡举猥滥，势门子弟，交相酬酢，寒门俊造，十弃六七。及元稹、李绅在翰林，深怒其事，故有覆试之科。"

王炎家又是如何呢?

王炎于贞元十五年(990)进士及第,多次升迁,但因为早逝没有留下特别的事迹。但王炎的两个儿子均活跃于官场。首先兄长王铎在会昌(841—846)初年进士及第,在大中(847—860)、咸通(860—874)年间,累迁至礼部尚书、吏部尚书。僖宗即位后,又任门下侍郎、同平章事,此外前后还担任过宣武军节度使、兖州节度使、沧景节度使。《新唐书》卷 185 云,"铎世贵,出入裘马鲜明,妾侍且众……李山甫者,数举进士被黜……且怨中朝大臣,导从训以诡谋,使伏兵高鸡泊劫之,铎及家属吏佐三百余人皆遇害"。王铎遇难于光启四年(890),这里提到的 300 余人即使不全为王铎的私属,也大多为族人、奴婢、宾客等(《旧唐书》记载宾客十余人)。我们不得不承认,唐代的官僚走上了新的豪族化的道路。

从上文的讨论中可以看出,三房或是四房的王氏,摒弃了六朝门阀的自豪感而转化为新式的官僚。但是六朝的遗产——对旧门阀尊崇的观念还没有完全消失。不仅如此,开元天宝以来的社会混乱,还使得伪造系谱成为可能。三房或四房王氏与大房、二房王氏之间的关系，已经不太为人所知，但广义上世间对太原王氏的尊崇，似乎尚未消失。作为这种尊崇的具体表现之一，笔者将在下文揭示这一家族谱系中作伪的情况。

《世系表》中将王炎一子记为“锷，字昭范，相僖宗”[①]。但是两《唐书》列传中所见王炎子仅有王铎与王镣，无王锷之名。王炎在贞元十五年（799）进士及第，早亡。但两《唐书》的《王锷传》中都记载王锷卒于元和十年（815），时年76岁。两种记载在时间上明显存在问题。王锷是宪宗朝的宰相，而非僖宗朝。通过以上三条理由，可以断言《世系表》中以王锷作为王炎之子明显有误。而两《唐书·王铎传》中，王铎字昭范，为僖宗朝宰相。那么《世系表》中的“锷”应为“铎”之误。

但是《世系表》中的错误，并非是无心之过（careless mistake）。《旧唐书·王锷传》记载：“锷附太原王翃为从子，以婚阀自炫，翃子弟多附锷以致名宦。”《新唐书》其本传中同样记载有“以婚阀自高”。

① 译者注：参百衲本《新唐书》（百衲本《新唐书》第16册，上海商务印书馆，1936年），《世系表》此处为“铎”字。作者未介绍所参看的版本。

可见王锷其人希望与太原王氏通谱，以提高自己族望的意图是非常明确的。王锷最初为杨炎所拔擢，后又为曹王皋所信任，举荐于德宗，历任广州刺史、岭南节度使，拜为刑部尚书、淮南副节度使，后历河中节度使，元和九年成为宪宗朝宰相。《唐国史补》（《太平广记》卷 165《吝啬篇》所引）中可以见到如下逸事："王锷累任大镇，财货成积。有旧客，谕以积而能散之义。后数日，复见锷，锷曰：'前所见戒，诚如公言，已大散矣。'客请问其名，锷曰：'诸男各与万贯，女婿各与千贯矣。'"虽然这段记载的真实性值得怀疑，但据正史的记载，王锷极端热衷于谋利确为事实。《旧唐书》卷 151 记载："（王锷）子稷，历官鸿胪少卿。锷在藩镇，稷尝留京师，以家财奉权要，视官高下以进赂，不待白其父而行之。广治第宅，尝奏请借坊以益之，作复垣洞穴，实金钱于其中。贵官清品，溺其赏宴而游，不惮清议。"王锷在广州时，又有如下事："锷能计居人之业而榷其利，所得与两税相埒。锷以两税钱上供时进及供奉外，余皆自入。西南大海中诸国舶至，则尽没其利，由是锷家财富于公藏。日发十余艇，重以犀象珠贝，称商货而出诸境。周以岁时，循环不绝。"王锷的财产，主要来自（一）利用官位收取的贿赂，（二）作为节度使的掠夺，（三）在商业方面的投资。就这几点而言，王锷完全属于新型官僚。虽然登上了宰相之位，但是王锷的权力终究是政治性的权力，一旦离开了这一官位，来自社会的尊崇就会如泡沫一样消失。他还是希望联合受到社会潜在尊崇的旧名族，于是自称为同姓太原王翃的族子。如《高俭传》赞所记“言李悉出陇西，言刘悉出彭城”，唐中叶以来谱录混乱，使得系谱的作伪在某种程度上成为可能。而允许王锷通谱的太原王氏，也是因为自身想成为官僚豪族。结交王锷这样的权臣，也确实是为自身谋划进入官场的上策。两《唐书》中的《王锷传》记载：“王锷，字昆吾，自言太原人。”“自言”一词，可以看出作者对王锷本贯有所怀疑。虽然列传的作者认为将王锷归为太原王氏是存在问题的，但《世系表》的作者却为王锷的通谱所误导，将王锷误记为王炎之子。又进一步将王锷的名字记于镇、镣、铸等均为金字旁的同一代人中，看上去毫无问题。但是在讥笑《世系表》的草率之前，能够从这一错误的记载中发现当时官僚与旧门阀之间的关系，也是非常可喜的。

第六章

# 王氏诸旁系的出现

## 第一节　乌丸王氏

### （一）王僧辩及其子孙

本章将对王氏主要的旁系进行考察。《宰相世系表》记载："乌丸王氏：霸长子殷，后汉中山太守，食邑祁县。四世孙寔，三子：允、隗、懋。懋，后汉侍中、幽州刺史。六世孙光，后魏并州刺史。生冏，度支尚书、护乌丸校尉、广阳侯，因号'乌丸王氏'。生神念。北齐亡，徙家万年。"通过这段记载，可以大致了解到乌丸王氏称呼的由来以及家族的始祖。但是霸、殷、寔、允、隗、懋等远祖并不足信，这点已经在始祖传说批判一章进行过详细的探讨（第一章第二节）。那么关于乌丸王氏始祖的传说大约成立于何时呢？《南史》卷25《王懿传》记载："王懿字仲德，太原祁人，自

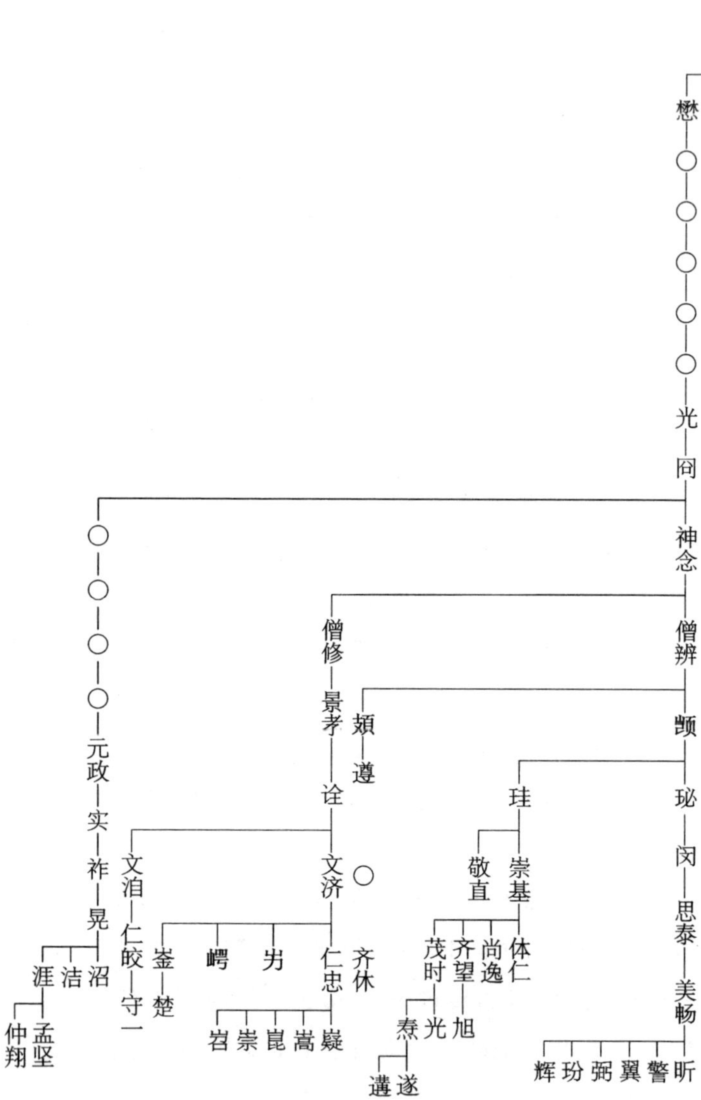

覇
殷
允
隗
寔
懋
○
光
冏
神念
僧辨
僧修
頠
頍
景孝
遵
诠
玭
珪
文济
文洎
闵
思泰
美畅
敬直
崇基
仁皎
守一
体仁
尚逸
齐望
茂时
旭
光
焘
遂
遘
仁忠
齐休
岌
嵚
崿
楚
嶷
嵩
崑
崇
岧
昕
警
翼
弼
玢
辉
元政
实
祚
晃
沼
洁
涯
孟坚
仲翔

（2）守屋考证系图

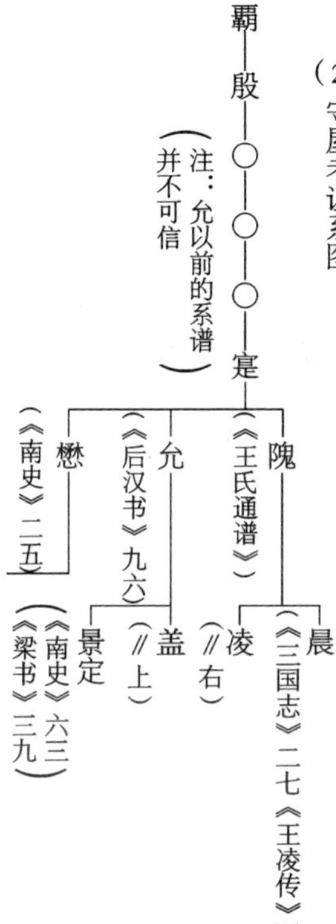
霸
殷
○
○
○
寔
（注：允以前的系谱并不可信）
隗（《王氏通谱》）
晨（《三国志》二七《王凌传》）
凌（〃右）
允（《后汉书》九六）
盖（〃上）
景定（《南史》六三《梁书》三九）
懋（《南史》二五）

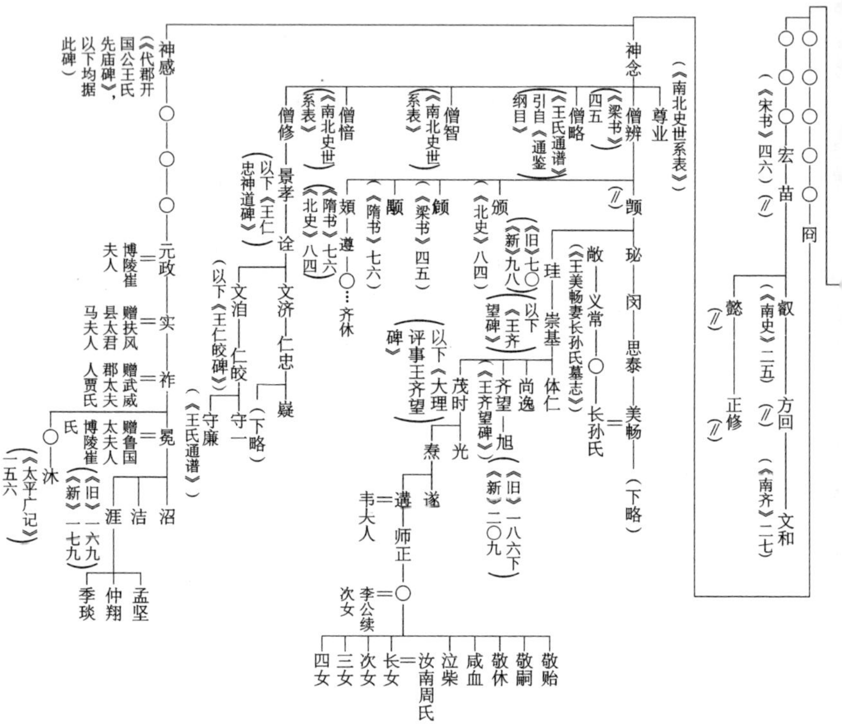

○—○—○—宏—苗—叡—方回—文和
《宋书》四六）（〃）
《南史》二五）（〃）
《南齐》二七）
懿（〃）—正修（〃）
○—○—○—○—○—冏
《南北史世系表》
神念
尊业
僧辨（《梁书》四五）
僧略
引自《王氏通谱》纲目》
《通鉴
僧智（《南北史世系表》）
僧愔（《南北史世系表》）
僧修—景孝—诠（以下《王仁忠神道碑》）
颙（〃）—珌—闵—思泰—美畅＝长孙氏（下略）
敞—义常—○（《王美畅妻长孙氏墓志》）
珪—崇基—体仁
尚逸
齐望—旭（《王齐望碑》）（以下《王齐望碑》）
（《旧》一八六下《新》二〇九）
（《旧》七〇《新》九八）
颁（《北史》八四）
頠（《梁书》四五）
颙（《隋书》七六）
頍（《隋书》七六《北史》八四）—遵—○…齐休
茂时—光
以下《大理评事王齐望碑》
焘—遂
遘＝韦大人—师正—○＝李公续次女
敬贻 敬嗣 敬休 咸血 泣柴 汝南周氏＝长女 次女 三女 四女
文济—仁忠—嶷（下略）
文洎—仁皎—守一
守廉
（以下《王仁皎碑》）
（《王氏通谱》）
神感（《代郡开国公王氏先庙碑》，以下均据此碑）
○—○—○—元政＝博陵崔夫人
实＝赠扶风县太君马夫人
祚＝赠武威郡太夫人贾氏
冕＝赠鲁国太夫人博陵崔氏
（《旧》一六九《新》一七九）
沼
洁
涯—孟坚 仲翔 季琰
○—沐（《太平广记》一五六）

言汉司徒允弟幽州刺史懋七世孙也。”因有“自云”二字，可以推断王懿的祖先传说是非常可疑的。但至少可以确定在他所处的东晋至宋初，已有家族奉允、懋等为远祖。王懿自称太原祁人，想要与以允、懋为先祖的王氏(应该主要为乌丸王氏)扯上关系，据此可以认为乌丸王氏也在这一时期迎来了上升期。

乌丸王氏这一名字源于北魏初的护乌丸校尉王冏，但史料中没有关于他的详细记载。正史中最早有迹可循的是王冏之子王神念。据《梁书》卷 39，王神念少时明于儒学，由此可以认为他成长于可以接受相当程度教育的优渥家境。他初任魏颍川太守，后在梁魏战争时携家属渡江奔梁。在梁代提高家族名望的是王神念的次子王僧辩。①

王僧辩以武功荣进，侯景乱梁时随日后成为梁元帝的湘东王萧绎攻打侯景，功勋卓著。但是当时北朝对梁的侵凌日重，西魏杀梁元帝而拥立萧詧，北齐则拥立萧渊明。当时王僧辩欲立元帝子萧方智，并与诸将约定此事，但终因无法承受北齐重压而迎立萧渊明，并在旗下

① 关于王僧辨其人，在《南史》、《梁书》之外，又参照了冈崎文夫《魏晋南北朝通史》第 3 章第 5 节，第 295 页。

任官。这种行为对梁朝人而言是背信之举，王僧辩因此受人怨恨，后为陈武帝陈霸先所杀(555 年)。

王僧辩之死令乌丸王氏一族不得不再次逃往北方。其长子王顗与旧部王琳入北齐，欲向陈朝复仇。但王琳为陈兵所杀，王顗听到这一消息后痛哭而死。次子王颁听闻父亲王僧辩的死讯后，“号恸而绝，食顷乃苏，哭不绝声，毁瘠骨立。至服阕，常布衣蔬食，借藁而卧”。他的这种孝行受到很高评价，后为隋所征召。[①] 关于王颁的孝行还有另一则记载。隋灭陈时，王颁召来父亲在世时的士卒千人，“对之涕泣”。士卒中有一人问道，是否因为不能手刃陈霸先而悲痛，如果是这样的话，不如掘其墓焚其骨。王颁听从了他的意见，将陈霸先的骨灰和水喝掉。王颁因此事向隋文帝主动请罪，但文帝称这一行为是孝义之道，未予降罪。

王顗、王颁以下，王僧辩的第三子王颇和父亲一同被缢死。第四子或为王颙，其事不详。第五子王頍，《隋书》中有关于其孝行的记载。王頍少好游侠，为兄长王颙责骂后幡然醒悟，精研五经。开皇五年，任隋著

① 《北史》卷 84《孝行传》。

作佐郎。后劝说汉王谅谋反，战败后自杀。

接下来讨论乌丸王氏的家风。《颜氏家训》卷 1《教子篇》记载："王大司马母魏夫人，性甚严正，王在湓城时，为三千人将，年逾四十，少不如意，犹捶挞之。"王大司马即王僧辩。表现王僧辩母亲严厉及王僧辩顺从的史料不仅于此。王僧辩曾经触怒湘东王萧绎，即将处刑之际，王僧辩表示"但恨不能见老母"。王僧辩的母亲前往拜见萧绎，为自己教子无方而谢罪。萧绎怒气平息，释放了王僧辩。王僧辩出狱时，母亲非常严厉地指责了他。

应该可以认为，乌丸王氏家族中始终贯彻了儒教的精神。

王僧辩五子中，后代兴旺的仅有长子王顗。王顗长子王珌的后代一直延续至唐之后的五代时期(参照《八琼室金石补正》卷 49《王美畅妻长孙氏墓志》)，关于其家族生活并没有什么特别需要记述的内容。

接下来讨论王顗的次子王珪。据《新唐书》卷 98《王珪传》，王珪幼时丧父，颇为叔父王頍所疼爱。但王頍叛隋而死，王珪也不得不亡命十余年。至于唐，才渐为高祖、太宗所重用。王珪的事迹在

《贞观政要》中有详细的记载，此处不一一赘言。这里笔者希望探讨的问题是，唐朝对山东名族在婚姻方面都要加以限制，又为何会选用太原王氏支系的王珪来担任宰相呢？

首先，王珪的家族由于六朝末期王僧辩之死，已经完全丧失了门阀的形态。加之以王珪十余年的亡命生活，已经完全丧失了豪族存在的基础。显庆四年，唐高宗对天下诸名族的婚姻加以严格限制，但当时太原王氏中主要针对的是北魏王琼的后人，并没有涉及其他支系。就此不难想象，乌丸王氏与王氏四房之间几乎没有任何交往。这种豪族形态的解体加速了这一家族成员向官僚的转化。

第二，这一家族中贯彻始终的儒教精神，使得他们对王朝保持顺从。以下试从王氏的生活中寻找一例予以说明。王珪任礼部尚书时，宗室公主下嫁，均因出身尊贵而不行见舅姑礼。适逢王珪子王敬直尚南平公主，王珪作为公主之"舅"，主张"主上循法度，吾当受公主谒见，岂为身荣，将以成国家之美"。于是与夫人坐于堂上，令南平公主执笄盥馈。这里实行的是《礼记·内则》所记载的礼仪。王珪本传又记载："奉寡嫂，家事咨而后行。教抚孤侄，虽其子不过也。宗族匮乏，周恤之，薄于自奉。”这些行为中一以贯之的正是儒教精神。

笔者认为唐代在儒教礼制方面有加强国家权力渗透的倾向。具体表现可以见于《王珪传》的记载：“(珪)独不作家庙，四时祭于寝，为有司所劾，帝为立庙愧之，不罪也。世以珪俭不中礼，少之。”为理解这一事件的意义，有必要考察唐代百官的家庙作为背景知识。

《文献通考》卷 105《宗庙考》记载：“唐制，一品、二品四庙，三品三庙，五品二庙，嫡士一庙，庶人祭于寝。”通过后文的记载，可以推断这应该是开元之前的制度。《唐会要》卷 19 引开元十二年诏：“一品许祭三庙，五品许祭二庙，嫡士许祭一庙，庶人祭于寝。”[①]又《通典》卷 47 记载：“大唐制，凡文武官二品以上，祠四庙。三品以上须兼爵，四庙外有始封祖，通

① 译者注：武英殿本《唐会要》此处记载为“开元十二年敕。一品许祭四庙，三品许祭三庙，五品许祭二庙，嫡士许祭一庙，庶人祭于寝。”《四库全书》本《唐会要》作：“开元十三年敕。一品许祭四庙，三品许祭三庙，五品许祭二庙，嫡士许祭一庙，庶人祭于寝。”作者此处写明“开元十二年诏书”，或据武英殿本《唐会要》，在誊写时出现讹误。

祠五庙。五品以上，祠三庙……六品以下，达于庶人，祭祖祢于正寝。”这一记载与成书于开元二十年的《大唐开元礼》内容相同，或为开元二十年前后的庙制。接下来我们继续看《文献通考》的后续记载：“及开元定礼，二品以上四庙，三品三庙，三品以上不须爵者亦四庙，四庙有始封为五庙，四品、五品有兼爵亦三庙，六品以下达于庶人祭于寝。”这一记载也与《通典》中所记载内容的时代相当。以上史料虽然有些许差异，但以《文献通考》的记载最为全面易懂。据此考察唐代家庙制度最为整备时期的形态，可以总结品级与庙数的关系如下。

| 品 | 一 | 二 | 三 | 四 | 五 | 六—庶人 |
| --- | --- | --- | --- | --- | --- | --- |
| 庙数 | 四 | 四 | 三 | 二? | 二 | 寝祭 |

也即五品以上的官员，可以立庙的范围近及祖父，远至高祖。但是有品级的人未必均有官职。如《唐六典》卷 2“吏部司封员外郎”条所载，受封九等爵者，同时叙五品以上官。这样有封爵的人，作为始封之祖受到尊崇，子子孙孙又可以世袭爵位，因此无论相隔几代，仅有始封之祖的庙被允许在定数之外存续下去。因

此如果某人继承远祖的一品爵，他以一品的身份可以在父、祖父、曾祖、高祖四庙外，另设祭祀始封远祖庙，共计五庙。

清代毛奇龄注意到了唐代家庙碑、先庙碑等数量颇多这一事实，①认为宗庙制度是按照规定实行的。如果对比若干实例，如燕国公于氏以从一品建四庙，②礼部尚书令狐楚以正三品建三庙，③御史大夫薛氏以从三品建三庙，④司空工部郎中王孟坚以正四品建三庙，⑤可以发现他们都是遵循制度而建的。而关于建立始封祖庙，制度上虽然有所规定，但事实上遵守与否却无法判断。《全唐文》卷 497 权德舆撰《于氏先庙碑铭》中记载："国朝之制，二品已上祠四庙，三公品第一，虽有

---

① 毛奇龄《蠡勺编》卷 29 "家庙" 条。译者注：《蠡勺编》为凌扬藻所著。

② 于氏家庙的情况，见《全唐文》卷 497 权德舆撰《唐金紫光禄大夫守司空同中书门下平章事……上柱国燕国公先庙碑》。译者注：即《唐金紫光禄大夫守司空同中书门下平章事充太微宫使上柱国燕国公于公先庙碑铭》。

③ 令狐氏家庙的情况，见《全唐文》卷 608 刘禹锡撰《东都留守令狐楚家庙碑》。

④ 薛氏家庙的情况，见《权载之文集》卷 12《大唐浙江西道都团练观察等使润州刺史兼御史大夫河南郡公薛公先庙碑》。

⑤ 王氏家庙的情况，见《刘禹锡文集》卷 12《代郡开国公王氏先庙碑》。

始封，亦不敢逾焉。”事实上立五庙的情况可能非常少。

那么唐代的官制与礼制以这样的方式相结合，自然会涉及一个问题，如果兄长无立庙之权，而弟弟获得立庙权利的情况，应该由谁来主持祭祀？据《文献通考》卷 105，“庶子官尊而立庙，其主祭则以支庶封官依大宗主祭，兄陪于位。以庙由弟立”。与此相应，《唐会要》卷 19“百官家庙”条中有如下记载。李师道为淄青节度使，祭父、祖、曾祖庙，以其兄李师古祔祭。他的家族谱系如下图所示。

太常礼院针对此事指出：（一）“无兄弟相继为后之文，则明师古神主，不合入师道之庙”；（二）“若师古男自有四品三品官，兼有封爵，准开元礼，合待三年丧

终，礼祭毕后，别立庙宇，设师古神主座，行祔祭之礼，自承宗祀，庶合礼经。”从这一记载中可以看出以下事实：（一）长子以下，获得一定的身份后便拥有立庙的资格；（二）即使是嫡系后人，没有达到一定的身份便不能建父祖之庙。

那么可以认为，祖先祭祀是有一定身份的官吏或封侯者才有的特权。正是因为给予了官吏特权，唐王朝才会迫使百官尊奉这些规定。贞元年间门下侍郎平章事赵退翁虽然清贫，所得俸禄先置私庙，而为士人赞赏；[①]与此相反，像王珪这样的没有立庙者则遭到了弹劾。不仅是王珪这样的高级官僚，品级不高的官员也会被强行要求立庙。《全唐文》卷401颜胜《对大夫祭判》一文中记载：“有五品，祭寝不祭庙，馔用索牛。御史劾：‘于寝则以陋，于馔则以泰。’诉云：‘礼令无违。’”

因此，立庙和祭祀是唐代官僚的特权。祭祀制度是收族最重要的方式，国家的力量深入其中。以收族为理想，坚持儒教精神的人，最终都会走上官僚化的

---

① 《册府元龟》卷301。译者注：此段史料见于《册府元龟》卷310。

道路。

王珪的两个儿子分别为王崇基和王敬直。弟弟王敬直及其子孙在史料中几乎没有任何记载。与此相对，兄长王崇基有体仁、尚逸、齐望、茂时四子。王珪所取得的乌丸王氏的繁盛，在这一时期还在延续。王齐望子王旭，王茂时子王光、王焘等都出生于这一繁荣时期。曾祖父王珪家教严格，对官僚主义和儒教精神的维护影响至子孙。到了王旭的时代，这种坚持更趋于严苛，以至于王旭被列入《旧唐书》卷 186、《新唐书》卷 209 的《酷吏传》。王旭因为讨得皇帝的欢心，玄宗初年成为侍御史。但因私藏巨万之财为人揭发，贬官后愤恚而死，时人称快。他利用官职谋取钱财，证据确凿。《太平广记》卷 268《酷暴篇》记载："唐殿中侍御史王旭，括宅中及别宅女妇风声目色。有不承者，以绳勒其阴，令壮士弹竹击之，酸痛不可忍。倒悬一女妇，以石缒其发，遣证与长安尉房恒奸，经三日不承。女妇曰：'侍御如此苦毒，儿死，必诉于冥司。若配入宫，必申于主上，终不相放。'旭惭惧。乃舍之。"虽然无法确认这段史料是否完全真实，但其中提及的本宅、别宅，有大量婢女，并对她们施以私刑等记载，在某种程度上应该是可信的。

与王旭截然相反的是王茂时之子王焘。据记载，王焘非常孝顺，任徐州司马，母亲患病时，他衣不解带精心照料。王焘与王旭是从兄弟，但与王旭不同，王焘有着健全的生活态度。可以确定这一家族在王焘之后至少又传承了四代，一直延续至9世纪末。（参《唐故鄂岳都团练判官将仕郎试大理评事太原王公墓志铭》）

### （二）王僧修的子孙

梁王僧辩在兄长王尊业之外，还有弟弟王僧智、王僧愔、王僧修，《王氏通谱》所引《护轩谱》中又记有王僧略之名。这些人中，后代载于谱系的仅有王僧修一人。对比《世系表》与李邕撰《赠安州都督王仁忠神道碑》（《全唐文》卷264），二者记载基本吻合，《世系表》这部分内容应大体无误。根据上述史料，这一家族自王僧修以来，三代为官，并延续至第四代王仁忠。王仁忠历任解、褐、濮诸州司法参军，[①]后转湖州司兵参

① 译者注：《全唐文》卷264《赠安州都督王仁忠神道碑》云，"（王仁忠）解褐濮州司法参军"。

军，颇有清廉之名，碑文云“邮亭利权，豪富儆市，脂膏不践，玉帛何阶”。王仁忠不认同凭借官职成为豪族的做法，但侧面说明大部分官僚都会依靠这种方式来积累财富。王仁忠的弟弟王仁皎即在此列[《世系表》中对王仁皎的记载，与张说撰《唐故益州大都督上柱国祁国昭宣□王公碑》（王仁皎碑）基本一致]。据《新唐书》卷206《王仁皎传》，王仁皎为玄宗废后的父亲，玄宗即位后，以外戚身份任将作大匠、太仆卿，后加开府仪同三司，封祁国公。其本传中记载：“仁皎避职不事，委远名誉，厚奉养，积媵妾赀货而已”，可见他利用外戚的身份成为豪族。

王仁皎的儿子王守一与王皇后为孪生，尚宗室女，“财蓄巨万”。然而父辈以来的巨大财富，离不开他们官僚与外戚的地位。因此，这一家族虽然资财甚厚，但在王朝权力面前相当弱势。开元十二年王皇后被废，王守一被赐死，家产悉数籍没。

### （三）旁系的复原

《世系表》在乌丸王氏后记有“冏五世孙元政”一族，其家系图如下所示。

毋庸赘言，此处的“冏”即护乌丸校尉王冏，梁代王僧辩的祖父。因此，这一家族也应该为乌丸王氏中的一支，但仅据《世系表》无法确定他们与王僧辨一族之间的关系。《刘梦得文集》卷 28《代郡开国公王氏先庙碑》记载：“后魏度支尚书广阳侯冏。广阳有二子：神念、神感。神念南奔梁，神感北仕齐，惟仪同府君（元政），广阳侯五代孙也。”据此碑文可以确知，广阳侯护乌丸校尉王冏有王神念（子僧辩）、王神感二子，王元政一系应该出自王神感。然而，专门记载世系的《世系表》中完全没有提及王神感与王神念的关系，可见二人的后裔之间并没有紧密的同族关系。王元政以下的系图没有任何征兆地出现于《世系表》中，是由于这一系此前在官场上并无势力。因此出现于《世系表》的时候，也已经没有了六朝门阀的形态。

前文引用的《王氏先庙碑》，是王元政四代孙王涯为高祖王元政以下祖妣立庙时的记录。

据碑文记载，长庆三年(823)王涯为御史大夫，从三品官。参照前文的分析，他有设立三庙的权利与义务。大和三年(829)，王涯成为正一品司空，可以增设一庙，设立四庙。如《世系表》所载，王涯还有王沼、王洁两位兄长，以第三子的身份祭祀高祖，与礼制上尊重嫡长子的传统不符。但是王沼为从五品，王洁为从四品，都仅有设立二庙的资格，不得不打破礼制上的嫡庶之分而将远祖祭祀的权限移至弟弟王涯。这一实例也是唐代政治体制改变儒教礼制的具体表现。

王涯以博学闻名，进士及第后，历任刺史、节度使、礼部尚书、吏部尚书，对下严厉而对上阿谀，是非常典型的官僚。王涯在任御史中丞时，曾建议征收诸道观察使的铜铁税收，任司空时又增收茶税。此外文宗不喜时俗奢靡，下诏令王涯惩革，王涯上疏表示应对衣服室宇加以限制。正因为是这样的性格，王涯表面上十分吝啬，不蓄妓妾，远离卜祝及方伎。

但是这种表面上的吝啬，可能是作为官员，不得不对君主绝对服从的自保之策。如果观察王涯的私人生活，可以发现他追求的并非是表面上的华丽，而是雅致的奢侈。例如在别墅中修建佳木流泉，营造与读书相宜的环境。他居住的京师永宁里杨凭旧宅中，收藏了可与秘府相匹敌的书籍与前代的名画。这些他或以高价购买，或凭借官威而强行收购。不仅如此，表面上俭朴的王涯，私下里却是一个守财奴。他历任节度使等要职，有聚敛如此财富的机会。暗杀王涯的人揭露了王涯藏匿的财物。①他将蒐集来的书画藏于两层墙壁之中，再重新封好。《太平广记》卷237《奢侈篇》中记载，王涯在庭院中穿井一口，以金玉为栏，平日上锁，严加看护，把宝玉与珍珠都投入井中。由于王涯日常饮用井水，被杀后其骨肉俱为金色。这虽然是后人杜撰的故事，但

① 译者注：新旧《唐书》中似乎未见暗杀相关的记载。《旧唐书》卷169《王涯传》，“至是，人破其垣取之，或剔取函奁金宝之饰与其玉轴而弃之”。《新唐书》卷179《王涯传》：“家书多与秘府侔，前世名书画，尝以厚货钩致，或私以官，凿垣纳之，重复秘固，若不可窥者，至是为人破垣剔取奁轴金玉，而弃其书画于道。”

《王涯传》中也有“财贮钜万，取之弥日不尽”之语，这个故事或许有一定的现实基础。总而言之，这些史料也反映出了新型官僚的豪族化。

但是在天子威严之下，官僚型的豪族不过是短暂的存在。在天子面前伪装俭朴，从未考虑过消费而只是藏匿金钱的王涯，大概正是为有朝一日丧失官僚地位而进行准备。

王涯被杀时，全宗覆灭，“是时，十一族赀货悉为兵掠”。虽不知“十一族”的具体所指，但可以看出王涯身边确实聚集着若干族人。只是并不能认为这些族人聚集在一起，可以稳固王涯的社会地位，也不能认为这些族人有和王涯相似的教养和风度，他们更可能是得知王涯的显达而希望受其恩惠。因此，王涯和其族人之间，有着明显的地位上的区隔，不能认为是对等的家族联合。

《太平广记》卷156《定数篇》引《杜阳杂编》记载如下：“王沐者，涯之再从弟也。（《新唐书·王涯传》中记作‘从弟’）家于江南，老且穷。以涯执相权，遂跨蹇驴而至京师，索米僦舍。住三十日，始得一见涯于门屏。所望不过一簿一尉耳。而涯见沐潦倒，无雁序情。大和九年秋，沐方说涯之嬖奴，以导所欲。涯始一召，拟许以微官处焉。自是旦夕造涯之门，以俟其命。及涯就诛，仇士良收捕家人，时沐方在涯私第，谓其王氏之党，遂不免于腰领。”这段史料很好地反映出了当时官僚与族人之间的关系。

## 第二节 文中子王通的家系

### （一）王玄谟及其子孙

王通一族在《宰相世系表》中并没有记载，但其祖先传说与乌丸王氏相关。因此在讨论过乌丸王氏之后，接着对这一家族进行考察。《宋书》卷 76《王玄谟传》记载：“王玄谟……六世祖宏，河东太守，绵竹（《南史》作‘竺’）侯，以从叔司徒允之难，弃官北居新兴，仍为新兴、雁门太守，其自叙云尔。祖牢，仕慕容氏为上谷太守，陷慕容德，居青州。父秀，早卒。”《南齐书》卷 27《王玄载传》记载：“王玄载字彦休，下邳人也。祖牢，伪北地太守。父蕤，东莞太守。……玄载弟玄邈。”据此可以整理出如下谱系图（第 154 页）。

守屋考证文中子家系图 图中未做出特别标注的，均出自《文中子世家》

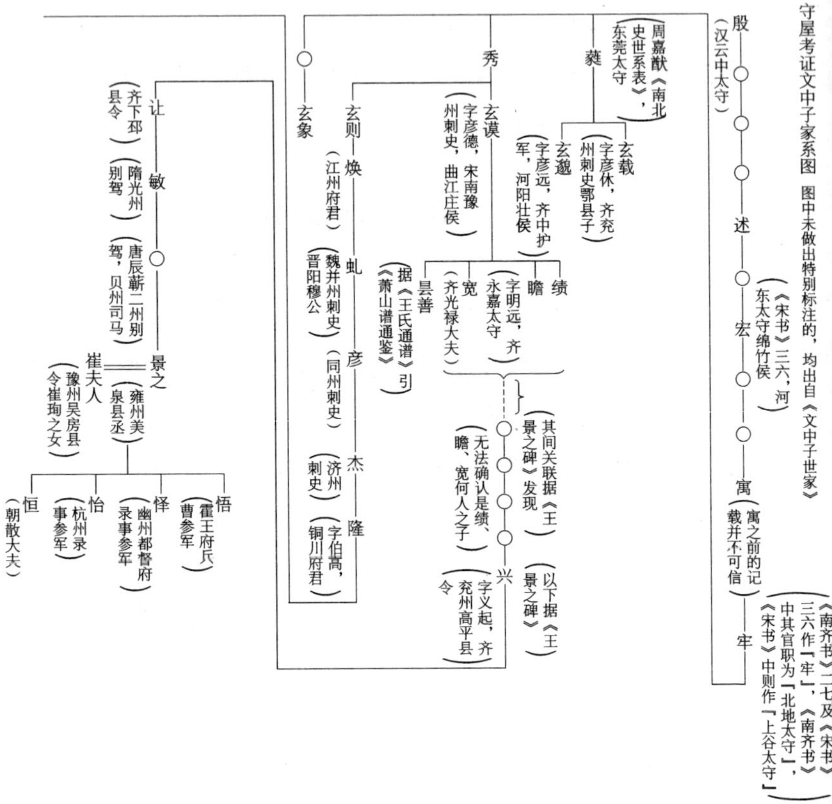

- 通（文中子）
  - 福郊（《困学纪闻》中作「福奖」）
    - 佃（《萧山谱》）
    - 俊（同右）
  - 福畤（《新》二〇一《旧》一九〇 泽州长史）
    - 勔（同上）
    - 勮（同右）
    - 勃（同右）
    - 助（虢州参军）（《新》二〇一）
    - 劼（同右）
    - 劝（同右）
  - 福祚（《王质碑》）（上蔡主簿）
    - 勉（同上，《新》一六三）（宝鼎令）
      - 怡（《王质碑》）（渝州司户参军）
        - 潜（同上）（扬州天长县丞）
          - 质（同上）（宣州刺史兼御史中丞宣歙团练观察使）
            - 庆存
- 凝（隋著作郎）
- 绩（《唐王质碑》中作「勣」）（号东皋子）
- 二子某（《王氏通谱》）
- 静（同右）

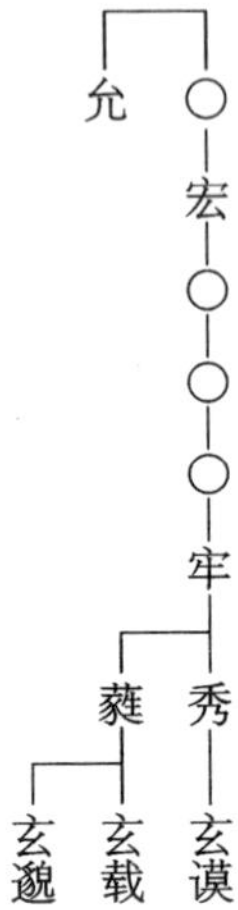


东汉王允被杀时，宗族十余人均被处死，很难想象王允的侄子还留有后裔，因此王玄谟的家族传说并不可信。

现存史料中，这一家族在正史之外还有一处记载。《全唐文》卷 135 杜淹《文中子世家》云：“文中子王氏，讳通，字仲淹。其先汉征君霸，洁身不仕……（王通）十八代祖殷……十四代祖述，克播前烈，著《春秋义统》，公府辟不就。九代祖寓，仕晋遭愍怀之难，遂东迁焉。寓生罕，罕生秀，皆以文学显。秀生二子，长曰玄谟，次曰玄则。”只是其中关于远祖的记载还有许多空白之处，而且文中出现的霸、殷等人也难以尽信，这点已经在前文论及(第一章)，此处不再赘述。《文中子世家》记载的可能是东晋南迁王氏中的一支，但文章中为粉饰家系而进行了作伪。

王玄载、王玄邈、王玄谟、王玄则所处的宋齐时代，应该正是这一家族的勃兴时期。《南齐书》卷 27《王玄邈传》记载："同族王文和，宋镇北大将军仲德兄孙也。"此处的王仲德即是乌丸王氏中的王懿，《南史》卷 25 有传。《王玄邈传》中将王懿祖父王文和[①]记为同族，可见当时文中子一系和乌丸王氏之间还保有同族的亲缘意识。

王玄载与王玄邈兄弟在 5 世纪中期至末期的政治活动可见于史书，但其后裔未载于《世系表》，因此对谱系的复原只能从他们的从弟王玄谟与王玄则着手。

王玄谟仕于宋齐，以武功荣进，曾做过四任刺史。与宋孝武帝非常亲近，超乎寻常。例如《宋书》其本传所记，王玄谟为雍州刺史时，在雍州厉行土断，又令九品以上的人无论贫富统一上缴租税，境内嗟怨，谣言称

① 译者注：据作者前文叙述，王文和为王懿兄王睿之孙。参见第 134 页系图。

王玄谟欲反。但宋孝武帝认为这并非事实，派人抚慰王玄谟，王玄谟回答："梁山风尘，初不介意，君臣之际，过足相保。"（《宋书》）这种君臣一体的情形，令这一家族逐渐产生了特权阶级的意识。例如王玄谟第三子王瞻，曾对刘彦节讲："君侯是公孙，仆是公子，引满促膝，唯余二人。"王瞻喜欢当时流行于贵族之间的人物品评，在齐武帝面前高谈阔论，但终因不敬天子而被处死。就《南史》卷 16 中所见其在天子面前的狂妄态度，足以显示出当时帝王周围门阀贵族的势力。

王玄谟四子的后人在正史中不见记载，但据北京图书馆所藏《大唐故雍州美泉县丞王君墓志铭》，可以进一步补足其家系。

> 公讳景之，（字）崇业，太原祁人……十代祖玄谟，宋尚书令、曲江侯，高祖兴，字义起，齐举秀才，任兖州高平县令，后加宁朔将军，子孙因居于高平龚丘。曾祖让，齐下邳县令，祖敏，隋任光州别驾，父讳□。皇朝辰、蕲二州别驾……公永徽四年，乡贡进士及第。任洛州缑氏、雍州美泉二县……永淳二年八月廿三日，终于洛州洛阳县会节

里第，春秋六十，夫人清河崔氏……有子愔，霍王府兵参军；次子怿，幽州都督府录事参军；次子怡，杭州录事参军；次子恒，朝散大夫，行左御史台殿中侍御史。

据此可知，王玄谟之后历经二三代，这一家族回到了北朝，在隋唐之际官员辈出。就志主王景之与名族崔氏通婚来看，其家族似乎在这段时期一直保有门阀的声誉。

### （二）文中子的家风

据《文中子世家》，王玄谟的弟弟王玄则是文中子王通的六世祖。与兄长以武功显达相反，王玄则是以学问荣进，对兄长颇不以为然。

王玄则任宋太仆国子博士，时称“王先生”。王玄则孙王虬，举家移居到了北方。王虬在北魏太和年间（5世纪末）任并州刺史，“创家临河汾，惟曰晋阳穆公”。这一系北迁的缘由，可以参看宋王应麟《困学纪闻》卷10所引司马温公《文中子补传》：“六代祖玄则，生焕，焕生蚪（虬）。齐高帝将受宋禅，诛袁粲。虬由是北奔魏，魏孝文帝甚重之。”①（《刘梦得文集》收录《唐故宣歙池等州都团练观察处置使宣州刺史……王公神道碑》中记载，自王通六代祖王杰任并州刺史以来，子孙均居住于太原祁县，但本文还是取《文中子世家》中王虬北迁一说。）

《文中子世家》中记载：“高祖穆公，始仕于魏，魏周之际，有大功于生人，天子锡之地，始家于河汾，故有坟陇，于兹四代矣。”自王虬北迁至于王通，家族历经三代。三代人分别任职于同州、济州、铜州，但墓地均营建于河汾之地，这表示当时的地方官员会在故乡保有土地。王通出生时（592），其家族已成为地方豪族，即使不在外任官，也可以依靠积蓄的钱财过上自足的生活。被视为文中子王通所作的《中说·事君篇》中写道：“疏属之南，汾水之曲，有先人之敝庐在，可以避风雨，有田，可以具馇粥……不愿仕也。”

王通“受《书》、《春秋》于东海李育，学《诗》于会稽夏琠，问《礼》于河东关子明，正《乐》于北平霍汲，考三易之义于族父仲华”。仁寿三年（603）前往长

① 译者注：作者所引用史料未见于《困学纪闻》，出处应为《邵氏闻见后录》卷4。

安拜见隋文帝，献太平之策，文帝大悦而公卿不喜，又适逢内乱，王通遂东归。此后不应文帝和炀帝的征召，定居于万春乡（山西南部河津县）甘泽里，教导学徒千余人，专心著述。大业十三年（617），江都乱起，王通在病中召弟子薛收，告诉他自己在梦中接受了颜回之召，此后便故去。门人以为王通为孔子以来未有之至人，引用《周易》定谥为"文中子"。

《文中子世家》中对王通的记载大略如上。但《文中子世家》和传文中子所撰《中说》，都存在不少问题，现列举如下：

（一）《隋书》中无《王通传》。

（二）《中说·王道篇》中提及王通在长安见到了李德林，但是王通前往长安是在仁寿三年，距李德林去世已 8 年有余（《困学纪闻》卷 10《集证》引《郡斋读书志》）。

（三）《文中子世家》中记载王通问《礼》于河东关子明，但据《中说·关朗篇》，关子明是早于王通百年的北魏人（《困学纪闻》卷 10"问礼关朗"条）。

（四）《中说》中所记载的文中子门人中，有多位贞观时期的卿相，而无一人能发扬师道（《容斋续笔》卷 1

“文中子门人”）。

（五）门人中在唐史有传的仅有薛收一人。据《文中子世家》，江都之变时，他正在听先师遗言，而列传（《旧唐书》卷 73，《新唐书》卷 98）中则记载他在唐高祖军中（同上）。

（六）《世家》记载赵郡李靖曾从王通受《诗》及圣人之道，但是李靖素来轻儒，应不会有问学于王通事（同上）。

（七）《中说》末尾有王通之孙王福畤所撰文，[①]其中称《世家》作者杜淹与太尉长孙无忌有隙，但杜淹卒于贞观二年，长孙无忌官至太尉在 21 年之后（同上）。

以上述问题颇多的《世家》和《中说》来追溯文中子的生涯并不可靠。王通之名还见于《王勃传》，皮日休撰《文中子碑》以及杨炯撰《王勃集序》，因此王通其人的真实性还是毋庸置疑的。[②]笔者推测，《文中子世

---

① 译者注：《容斋续笔》卷 1 原文为：“今《中说》之后，载文中次子福畤所录云……”参考《中说》，福畤应为文中子之子，而非孙。

② 清姚际恒在《古今伪书考》中，认为《中说》为阮逸所作，但文中子在历史中实际存在应当无疑。“世有以其姓名史所不载，疑并无其人者。按王仲言《挥麈录》曰：‘唐李习之尝有读文中子，刘禹锡作《王华卿墓志》，载其家世及通行事甚详，皮日休有《文中子碑》，见文集。’胡元瑞又言《王勃传》称‘祖通，隋末大儒’，则是有其人矣。”

家》可能是为将出身地方豪族、隐居民间的儒者王通，塑造为孔子以来第一人的伪作。

而传为《文中子世家》作者的杜淹，是名臣杜如晦的叔父，应该亲身经历过隋末唐初的史事。如果杜淹是作者的话，《世家》中在年代方面的矛盾未免太多，《旧唐书》卷66《杜淹传》中也完全没有提及他撰写《世家》一事，以杜淹为《世家》作者一说颇为可疑。

笔者认为贯穿《文中子世家》全篇的是尊崇学问的思想。因此其成书时间，应该是这一家族中崇文思想盛行的阶段。《太平广记》卷149“诙谐”条中有《王福畤》（王通第三子）一文，其中记载王福畤向韩琬的父亲夸赞自己四个儿子（勔、勮、勃、劝）的文采，韩氏嘲笑他有誉儿癖。但王福畤的自豪感并非仅仅出自父母的偏爱，这从《旧唐书》卷190《文苑传》中对王勃的记载即可看出，《太平广记》卷175引《摭言》“幼敏”条[①]及卷198《文章篇》[②]等又可作为补充。由此看来，这

① 王勃之“幼敏”，可从《唐摭言》中记载的他13岁时赴江西府帅宴一事看出。王勃据题当场赋诗，府帅叹其“不朽”。

② 关于王勃之文采，有如下逸事：他写作碑颂时，先磨墨数升，然后覆面而卧，起身后即一气呵成，不改一字，世人称之为腹稿。

一家族在王通之孙的时代，文名最高。或许可以推测，传为杜淹所撰的《文中子世家》其实是这一时代的作品。

### （三）文中子兄弟的生活

前项中已经论及文中子王通是从父祖处继承了田产与房屋的小豪族。据《新唐书》卷196可知，王通有弟王凝、王续二人。在探讨这两人之前，笔者希望先来看《太平广记》卷230引《异闻集》中的《王度》一文。其内容大略如下：

隋汾阴奇人侯生，临终时候授予弟子王度一面古镜。大业七年五月，王度罢御史而归河东，镜子第一次发挥神秘的力量。大业八年，王度任著作郎撰国史，在写到《苏绰传》时，有老奴豹生看到草稿后悲不自胜。询问下得知这一老奴原来为苏绰部曲，据他所言，这面镜子原为苏绰生前珍藏，苏绰曾占卜过这面镜子会经侯家而入王家，这些全部成为事实，不禁想念苏公而涕泣。

大业九年，有一胡僧至王度家，王度弟王勣出门接待，胡僧表示想一观古镜，对古镜施种种法术之后离开。同年冬天，王度以御史带芮城令。当时天下饥馑，尤以蒲陕为甚。王度手下的小吏张龙驹家中良贱数十口感染了瘟疫，王度借助古镜的魔力治好了他们。大业十年，王度弟王勣自六合丞辞官回家，想要遍游山水，王度应王勣之请，将古镜交给了他。大业十三年夏，王勣回到长安，对王度讲述了关于古镜的灵验之事。其后有庐山处士对王勣讲，天下神物不会久居人间，应早日持镜还乡。王勣听从其言，在归乡途中梦到古镜自陈即将离开人间，希望王勣带他去长安与王度作别。王勣数月之后回到河东，大业十三年七月十五日古镜消失不见。

这段记载中涉及了王度、王勣二兄弟。据《新唐书》卷 197《王绩传》，[①]王凝为隋著作郎，曾参与编纂《隋书》，与《异闻集》中王度于大业八年撰国史相类似。王绩最初曾任六合丞，在天下混乱之际辞官而去，这也与《异闻集》中王勣于大业十年辞六合丞回乡，希望遍游山水相似。《异闻集》中的王度、王勣，或许是以王凝、王绩为原型的。原本这只是一篇小说，难以认为其中的记载皆为事实。尤其是围绕古镜的诸多神秘传说不足取信，但在了解王凝和王绩的相互关系及生活方

① 译者注：《王绩传》应为《新唐书》卷 196。

式上，这篇小说中也有值得参考的部分。

据《王绩传》，王绩为绛州龙门人。绛州龙门位于黄河、汾河交汇处，即今天的河津县附近。他的兄长王通晚年教书育人的万春乡也在这附近。在《异闻集》中，王度(即王凝)与王绩“未尝远别”，因此王凝的故乡也应该在河津县附近。如前所述，长兄文中子王通拥有一定的土地和家产，那么他的弟弟们又如何呢?《异闻集》中王绩在预知古镜有变，便决定回归乡里，这说明他在故乡应该拥有若干住处。《王绩传》记载：“大业中……求为六合丞，以嗜酒不任事，时天下亦乱，因劾，遂解去。叹曰：‘网罗在天，吾且安之！’乃还乡里。有田十六顷在河渚间。……绩有奴婢数人，种黍，春秋酿酒，养凫雁，莳药草自供。以《周易》、《老子》、《庄子》置床头，他书罕读也。欲见兄弟，辄度河还家。”由此记载，可以推测兄长王通、王凝大概有十余顷的土地。奴婢数人，相对十六顷的土地，还是太少。对王绩而言，所种植的黍并非是主食而主要用于酿酒，黍以外也栽培麦与粟。完成这些工作应该还需要更多的奴婢。《异闻集》中王度(王凝)手下小吏家中尚有良贱数十口，想来主人家中应该有更多的口数。笔者认为文中子的每个兄弟家中，都应该有奴婢数十口进行耕作。据《王绩传》记载，他无意于家族的内部事务，也不参与乡族的庆吊冠婚，只有想见兄弟时才会渡河还家。就此可知，王通以下兄弟三人住处相邻，但在经济方面则是各自独立的。［《太平广记》卷230《异闻集》由鲁迅在《中国小说史略》（增田涉译上卷，第123页）中以《古镜记》为名进行过介绍。］

### （四）唐代文中子之家族

隋末文中子三兄弟，据有父祖以来定居的河汾之地，无意于仕途，维持着地方豪族的生活。王通、王凝、王绩三人中，王凝、王绩的后裔不见于史载。笔者推测，他们的后人或是一直继续着地方豪族的生活，或是持续均分家产而家族规模日益缩小。至于唐代，可能复原的家族谱系，换言之，即家族中仍有许多官僚的，只有王通一系。《世家》与《旧唐书·王勃传》中，有王通子王福郊、王福畤二人之名。前文已经提及，与子孙并不兴盛的王福郊相比，王福畤的诸子则文名颇高。王福畤引以为傲的三个儿子，被称为“王氏三珠树”，其中文名最高的是王勃。

但这一家族的崩溃还是很快到来了。王勃少时聪敏，很早便进士及第，恃才傲物，为同僚所嫉，以至除名。但王氏的不幸还未止于此。武则天万岁通天二年(677)，王勮、王勔二人因綦连耀之乱而连坐被杀，文中子一家自此走向了悲惨的没落期。

但值得注意的是，笔者发现了未见于两唐书《王勃传》及《文中子世家》的文中子家族中的一系。《困学纪闻》卷10引龚氏注云："文中子三子，福奖、福祚、福畤。"福奖、福祚之名，《王勃传》与《文中子世家》均未载。其中王福奖的后人已无从知晓，但王福祚又见于《旧唐书》卷163《王质传》："王质……太原祁人。五代祖通……通生福祚。"可以确认福祚为王通之子。《王质传》中进一步记载："……福祚生勉，登进士第……位终宝鼎令。勉生怡，终渝州司户。怡生潜，扬州天长丞。质则潜之第五子。少负志操，以家世官卑，思立名于世，以大其门。寓居寿春，躬耕以养母，专以讲学为事，门人受业者大集其门。年甫强仕，不求闻达，亲友规之曰：'以华卿之才，取名位如俯拾地芥耳，安自苦于阘茸者乎？扬名显亲，非耕稼可致也。'质乃白于母，请赴乡举。元和六年(811)，登进士甲科。”据此传记来探讨文中子家族的盛衰，可以总结出如下几点：（一）王通以来五世之间，丧失了王通、王绩曾居住的绛州龙门的土地所有权。（二）至于王质时期，重新在寿春获得了土地，但就“躬耕”一词来看，以往豪族式的奴隶耕作形态已经消亡。（三）家族财富的减少是由于官位低微。换言之，当时已经是官位不高，便无法扩大门户的时代。王质放弃躬耕而赴乡举，正是旧门阀不得不转而走上仕途的具体例证。

这一列传及刘梦得所撰神道碑都表明王质达成宿愿，成为宣州刺史兼御史中丞，但是这绝不意味着六朝门阀的再现。王质卒于836年(开成元年)，有一子庆存，此外还有三女，但这些后人的情况均不见详细的记载。

## 第三节　虚构的旁系——中山王氏

《世系表》所见王氏旁系中，还有中山王氏一支。《世系表》记载：“中山王氏亦出晋阳。永嘉之乱，凉州参军王轨子孙因居武威姑臧。”参考中山王氏后裔《王叡传》(《魏书》卷93)的记载，可知王轨其实为张轨的参军王横之误。

(1)《新唐书·宰相世系表》(中山王氏)

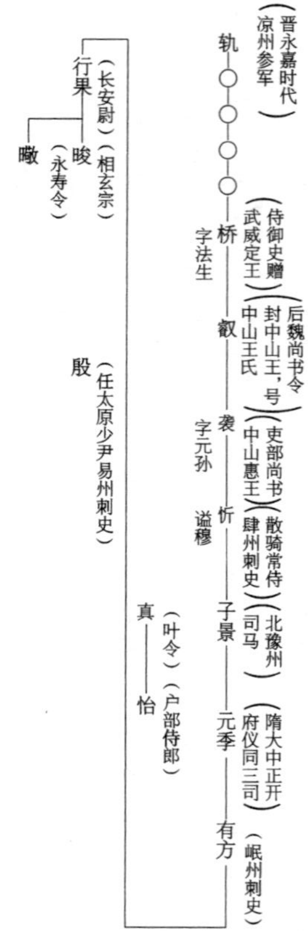


守屋考证系图　○本图中未特别标注的，均据《魏书》九三《王叡传》

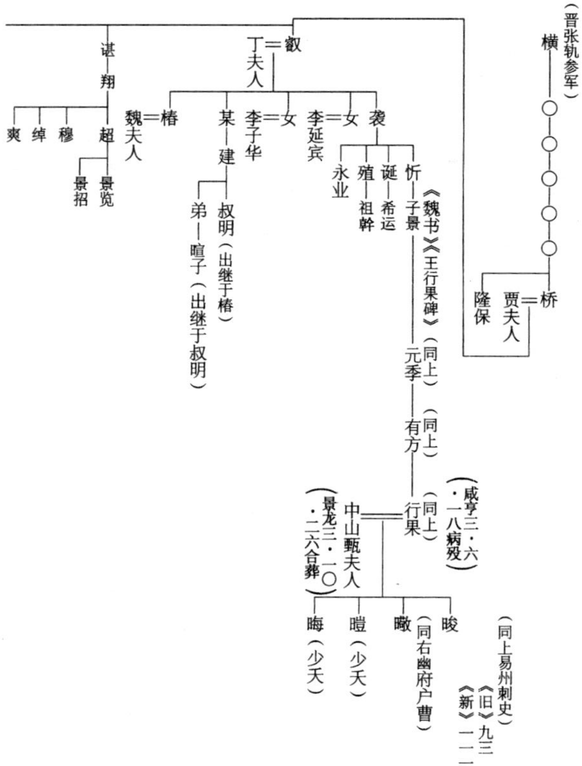

魏诚—静—伯豫（原为静之从子，过继为子）

亮—洪寿—元景（以下京兆韦公夫人碑）

巍—夷—〇—〇—〇—真行（同上《汝州叶县令叶公元堂志》讳子真，襄州录事参军）—怡（夫人碑中作「奉先县丞」，《元堂志》中作「昭应县尉」）—毗—王夫人（大历一三・三・二五殁）

韦氏（《韦公元堂志》中明确记作「韦端」）

缜（据《元堂志》，顺序应为「缜、系、综、纡、绚」）

洁

系

绾（《旧五代史》九四）

纡

这一系自王横至第五代王桥之间的谱系全然不明。王桥身无长物，自凉州进京后，以天文卜筮之术为生活之资。《世系表》中言其出自太原晋阳，颇可怀疑。这一家的兴起始于王桥子王叡之时。《王叡传》中收录了一族 30 余人，其中也包括并没有什么政治地位的人，看上去像是整个家族的家谱。①虽然《魏书》一直以来受到种种非难，但其撰者魏收的目标在于重正中原丧乱以来诸家的谱系，因此对于他在家世方面的记载应该给予足够的重视。

《王叡传》起始部分写道："王叡，字洛诚，自云太原晋阳人也。"这种写法②非常明显地表现出了魏收对王叡的出身抱有怀疑。

他虽然家境贫寒，但因"姿貌伟丽"为魏景穆帝所

① 参考宫川尚志氏《六朝時代の史学》，《東洋史研究》5(6)。又，应参看金井之忠氏《唐代の史学思想》(教养文库，第 45—46 页)中对南北史的批判。

② 羽田博士注意到，隋代的正史《隋书》中"自传……人也"及"不知何许人也"的记载不在少数，认为"《隋书》撰写于重视系谱的时代，不难想象其中记载的人物很多会假称自己出身汉族，此外记作出自不明的，将其视为外族应无大误。"[羽田亨:《漢民族の同化力説について》,《東洋学報(白鳥博士記念論文集)》,29(3、4)]。如果以这一观点思考《魏书》的话，王叡或并非汉族出身。以姿貌美丽著称，或是因为他样貌颇具异域风情。

赏识。文明太后临朝(476)，又颇受女后宠爱。于是，王叡“内参机密，外预政事”，480年(太和四年)成为尚书令，受封中山王。中山王氏之名应该源于此。

接下来《魏书》中记载了他由官僚成为大土地所有者的具体过程：“叡出入帷幄，太后密赐珍玩缯彩，人莫能知，率常以夜帷车载往，阉官防致，前后巨万，不可胜数，加以田园、奴婢、牛马……”当时北魏正在评定“四姓”，希望将社会评价与魏的官位价值统一起来。因此，一跃而成为显贵的王叡自然也想将自己与四姓之一的王氏扯上关系。魏收直言其伪造家世：“叡既贵，乃言家本太原晋阳，遂移属焉，故其兄弟封爵移以并州郡县。”王叡一边谎称自己出自太原，一边将分散的家族成员集中至太原，以掩饰其谎言。

由于王叡突然飞黄腾达，他的儿子也因此受到拔擢，两个女儿都嫁入了名族赵郡李氏。可以认为他对家世的粉饰是成功的。

《世系表》中对王叡长子王袭及其子孙记载甚详，又可以进一步据王袭五代孙王行果的墓志铭补阙，家族制度方面并没有需要探讨的问题。接下来考察王叡次子王椿及其子孙。王椿与兄长相同，也是以父荫拔擢，6

世纪初(正始初)被拜为中散大夫，不久成为太原太守。王椿任太原太守，王椿兄任并州刺史，都印证了《王叡传》中“其兄弟封爵移以并州郡县”的记载。由此可知，王家依靠王叡的权势，垄断了并州太原这一大本营的长官职务。尤其是王椿，甚至将自己生活和工作区域合而为一，其传记云：“初椿于宅构起厅事，极为高壮。时人忽云：‘此乃太原王宅，岂是王太原宅。’”由于自父亲王叡以来积蓄了大量财富，王椿生活极尽豪奢，“僮仆千余，园宅华广”。这千余人的僮仆之中，自然包括从事农业劳动的人。王椿以气派的庄园领主身份，尽情享受“声妓自适，无乏于时”(本传)的生活。

王叡伪造家系以来，这一家族的政治社会地位迅速提高，由官僚式的积聚财产逐渐走上成为地主的道路。值得注意的是，当时施行的均田法对于这一家族并没有起到任何制约作用。以王椿为中心的这一家族内部有怎样程度的联合并不明晰，在太原以外任官的族人与乡里保持怎样程度的联系也无从知晓。但有一条理解这一问题的关键史料，即王椿死后家业的继承方式。

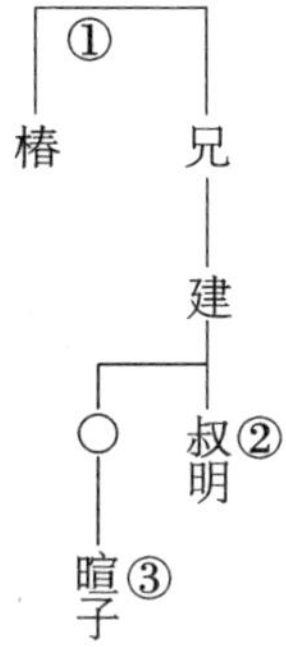


王椿娶钜鹿魏悦女，无子，于是以兄长之孙王叔明作为自己的继承人。王叔明的父亲或为王建，居住于洛阳。因此可以认为在洛阳的王建与在太原的王椿之间（叔侄关系）保有紧密的亲缘关系。

王叔明为王椿的继承人，亦无子，去世于晋阳后，以弟弟的儿子王暄子继承家业。这里有必要探讨王叔明和王暄子继承家业的目的。王椿为真定县开国侯，食邑七百户，由于封建继承的必要性，以养子来继承也是理所当然的。但如仁井田博士曾详细论述过的那样，南北朝时代“如果无子，以旁系继承封爵是特别的宠遇。通常这种情况下，封爵的传承会就此断绝”（《支那身分法史》，第 511 页），因此王椿家族中的王叔明和王暄子并不是以继承封爵为目的的养子。而且如果继承了爵位，原则上《王叡传》中会有明确的记载，而叔明和暄子仅写作“为后”，并未言及袭爵。因此可以明确二人并没有继承爵位。

那么二人的继承是为了使王椿免于绝祀吗？若是如此，王叔明是王椿的孙辈，这种无视昭穆关系的过继显得难以理解。

这样考虑的话，二人继承的目的只能是为了继承王椿家的大量财富。

此外，《王叡传》中还列举了王叡的弟弟王谌、王魏诚、王亮诸人及他们的子孙。但这些记载过于简略，不足以展开对家族问题的探讨，因此以谱系图来表现这部分内容。《世系表》中还记载有“真(叶令)”、“怡(户部侍郎)”二人，与家族中其他成员的关系不明，笔者据《大唐华州下邽县丞京兆韦公夫人墓志铭》(《八琼室金石补正》卷66)确认他们应该是前文提到过的王亮的子孙。[①]这里不再详论，具体情况也请参照谱系图。[②]

---

① 应与《韦公夫人墓志》对读的《韦公元堂志》同样收录于《八琼室金石补正》卷66。

② 《新唐书·宰相世系表》中将王孝杰及其子无择系于“华阴王氏”，但是由于没有可与之对比的碑文，无法对这一旁系作出进一步的考证。

第七章

# 山东士族的命运

截至上一章，我们完成了对太原王氏本宗和旁系的逐一考察。本章将从总体上来观察包含王氏在内的山东名族，在隋唐帝国的政治权力之下走向了怎样的命运。山东郡姓这一说法似乎在北魏时期就已经存在，[①]其后也常见于史料，试举以下几例。

《资治通鉴》卷221乾元二年夏四月条："李揆山东甲族。"

《权载之文集》卷18《唐故成德军节度营田副使正议大夫赵州别驾赠寿州都督河间尹府君神道碑铭》："山东士大夫，多称其名义。"

同书卷27《唐故卫国夫人墓志铭》："夫人姓李氏，赵郡人……山东冠甲。"

《李义山文集》卷2"赵晳"条："官洛下名生，山

① 山东名族，即所谓"山东郡姓"。

东茂族。”

同书卷3《为李贻孙上李相公启》：“山东望族，几同屈景之强。”

同书卷5《祭处士房叔父文》：“五服之内，一身有官。将使泽底（指崔氏、卢氏）名家，翻同单系。山东旧族，不及寒门。”

这些实例都表现出山东名族在唐代是特别的存在。

唐王室对山东名族的态度，首先可以参见以下这条史料。武德元年高祖曾对内史令窦威说：“比见关东人（指山东人）与崔、卢为婚，犹自矜伐，公代为帝戚，不亦贵乎！”唐高祖强调帝室姻亲更贵于山东名族。其次《资治通鉴》卷192记载，贞观元年太宗论及关中人和山东人，“意有同异”，义丰、张行成二人谏言这不是天子应有的态度。[①]太宗采纳了这一谏言，但是并没有消除对山东人的恶感，在贞观十八年十一月指责洛阳刺史名振为“山东鄙夫”。

六朝时代，高级官僚的子孙大都也能成为高级官

① 译者注：此处义丰应是张行成本贯地。《资治通鉴》中记载如下：“殿中侍御史义丰张行成跪奏曰：‘天子以四海为家，不当有东西之异；恐示人以隘。’”

僚，并由此带来经济方面的富裕，促使他们走上豪族化的道路，与此同时也获得了与身份相符的教养。换言之，他们在政治和社会方面都居于高位，这些家族中最具代表性的就是山东名族。隋唐时期国家权力限制这些门阀在政治上的垄断地位，又希望将社会对门阀的崇敬转移至己方。推行科举考试，即是为达成这一目的的手段。

根据布目潮沨氏的研究，[①]唐创业至贞观时期，官僚的中心人物基本都是北魏以来的武人家族，而非南北朝时期一流的著姓名门。《贞观政要 · 礼乐篇》中唐太宗曾提及“比有山东崔、卢、李、郑四姓，虽累叶陵迟……”，也可以从旁证明布目氏的观点。正是科举制促进了这些社会权力阶层逐渐远离政治，当时的小说中也记载了不少名族子弟在严格的考试制度下，陷入了落第的悲惨命运。如白行简（白居易弟，贞元中进士，宝历二年卒）所作《李娃传》：天宝中，常州刺史荥阳公时望颇高，家徒甚殷。51 岁生一子。此子通过乡贡后，为应秀才举前往京师。荥阳公虽然相信儿子一次便可及

---

① 布目潮沨：《唐代の貴族》，《東洋史研究》10(3)。

第，但为备不时之需还是准备了两年生活之资。但其子上京后，迷恋京师娼妓李娃，流落为车夫，①终为李娃所救后中举。荥阳公或为荥阳郑氏，即使如此高门也担心自家子弟有落第的可能，不得不备好两年的生活用度。

《唐摭言》卷 10 记载："卢汪门族，甲于天下……举进士二十余上不第……晚年失意……"又同卷中还有以下事："刘得仁，贵主之子……出入举场三十年，竟无所成。"

此外，元稹（太和五年卒）在《莺莺传》中提及名族崔氏甥张生落第事，李朝威《柳毅传》中记载河东名族柳毅落第，任蕃《梦游录》的《樱桃青衣》中写了范阳名族卢氏子弟落第。当然正如宇都宫清吉所言，②要成为高级官僚，参加数次科举考试以及学习本身都需要一定资费，没有财力的贫贱之人登第是非常困难的。此外

---

① 译者注：据《太平广记》卷 484《李娃传》，"邸主惧其不起，徙之于凶肆之中。绵缀移时，合肆之人，共伤叹而互饲之。后稍愈，杖而能起。由是凶肆日假之，令执繐帷，获其直以自给。累月，渐复壮，每听其哀歌，自叹不及逝者，辄呜咽流涕，不能自止。归则效之。生聪敏者也，无何，曲尽其妙，虽长安无有伦比。"荥阳公之子在凶肆中唱挽歌以自给，非为车夫。

② 宇都宫清吉：《唐代貴人に就いての一考察》，《史林》19(3)。

贵族还拥有世代传承的文化财产——普通人难以获得的书籍，这也是重要的优势。就这点而言，不得不承认旧门阀确实具备优越的物质条件。科举也有后文会提到的不正当的门路，但总体看来，科举制度确实在打破门阀制度上起到了无可否认的重要作用。

其次唐王朝致力于将社会对门阀的崇敬，转换到对唐王室及官僚的崇敬上来。高祖曾向窦威讲“公代为帝戚，不亦贵乎”，太宗也说过“有能立功，爵位崇重，善事君父，忠孝可称，或道义清素，学艺通博，此亦足为门户，可谓天下士大夫”。（《贞观政要·礼乐篇》）这都是尊崇唐王朝及其官僚的表现。这种精神的具体表现是唐代《氏族志》的编写。贞观六年，太宗令高士廉等编纂《氏族志》。据仁井田陞博士的研究，[①]《氏族志》于贞观八年成书并被奏上。太宗的意图则可见于《贞观政要·礼乐篇》：“比有山东崔、卢、李、郑四姓，虽累叶陵迟，犹恃其旧地，好自矜大，称为士大

---

① 上引宇都宫氏论文注 35 中，注意到了《国立北平图书馆馆栞》第 5、6 卷中各第 6 号中刊载的敦煌出土的《贞观氏族志》，认为应为太宗第一次编纂的氏族志，其中“贞观八年五月十五日壬申”为“六年六月”之误，仁井田博士则将其视为成书上奏的年代。（《支那身分法史》第 5 章第563 页）

夫。每嫁女他族，必广索聘财，以多为贵，论数定约，同于市贾，甚损风俗，有紊礼经。既轻重失宜，理须改革。”然而完成的《氏族志》以名族崔幹为第一等，太宗针对这点评价道：“今定氏族者，诚欲崇树今朝冠冕，何因崔幹犹为第一等，只看卿等不贵我官爵耶？不论数代已前，只取今日官品人才作等级，宜一量定，用为永则。”又命重修。①

《氏族志》的编纂在太宗之后也时有进行。②高宗显庆四年李义府等撰《姓录》，玄宗时柳冲等撰《姓族系录》，韦述等补订此书撰《开元谱》，天宝年间李林甫撰《天下郡望氏族谱》，肃宗乾元元年孔至撰《百家类例》。③虽然这些书的具体内容无法确知，但《唐会要》卷36“氏族条”中记载：“显庆四年九月五日，诏改《氏族志》为《姓录》。上亲制序，仍自裁其类例。

---

① 据宇都宫氏的推定(前揭论文)，第一次编订的《氏族志》在各郡之下，可能是依照家门之高下的顺序来记录姓氏的。

② 今堀博士在《唐代士族の性格素描》[《歷史学研究》9(11)、(12)]中详论了《氏族志》编纂的沿革。

③ 《百家类例》在《唐会要》卷36“氏族”条、《册府元龟》卷560“国史谱牒”条中记作贾至撰，《新唐书·艺文志》则记作韦述撰。宇都宫氏据《新唐书》卷199《孔至传》的记载，将《百家类例》的作者订正为孔至。(前引论文第68—69页)

凡二百四十五姓，二百八十七家。以皇后四家、酅公、介公、赠台司、太子三师、开府仪同三司、仆射为第一等。文武二品及知政事者三品为第二等。各以品位为等第。凡为九等。”从中可以看出彻底的官位本位主义。其后的《氏族志》应大多是模仿这一体例。例如《百家类例》的编纂形式如下：“大谱所纪者，唯尊官清职。传记本原，分为十卷。”（《会要》同条所引《序旨》）虽然唐太宗执着于否定旧名族，但这一时代所编纂的《氏族志》仍旧不能完全消除社会对旧门阀的敬意。高宗时代的《姓录》便是不满于此而修撰的，《会要》在注中进行了说明：“……许敬宗以其书（《贞观氏族志》）不叙明皇后武氏本望，李义府又耻其家无名，乃奏改之。”不仅如此，李义府还没收了尊重旧门阀的《贞观氏族志》，又命焚之，希望全面否定对旧门阀的敬意。

将社会崇敬的对象由门阀移至官僚是唐代政策的基础，王朝对官僚在经济方面给予的恩惠也从旁证明了这点。虽然均田法严格实行到何种程度尚且存疑，但王公以下、有爵者、职事官、散官、勋官，都在允许世袭的前提下，授予60顷至百顷的土地，明确承认官僚对大土地的所有权。成为官僚是当时成为合法的大土地所有者的唯一途径。[①]前引《李义山文集》中写到“五服之内，一身有官，将使泽底名家，翻同单系”，《元氏长庆集》卷26《去杭州》（送王师范）一诗中也有“房杜王魏之子孙，虽及百代为清门。骏骨凤毛真可贵，岗头泽底何足论”。这些诗作均表现出了新官僚的优越感。官僚甚至还以科举考试谋私，扩大自己的势力。《通鉴》卷201“龙朔三年(663)三月”条记载：“李义府典选，恃中宫之势，专以卖官为事，铨综无次，怨讟盈路。”又同书卷203“永淳元年(682)四月”条云：“(魏)玄同为吏部侍郎，上言铨选之弊……自魏、晋以来，始专委选部。夫以天下之大，士人之众，而委之数人之手……犹力有所极，照有所穷，况所委非人而有愚暗阿私之弊乎……”这与《唐会要》卷74《选部上》“论选事”条所载垂拱元年(685)魏玄同上表的内容基本一致，不过《唐会要》中进一步写道：“情故既行，何所不至。”神龙二年(706)三月，酸枣尉袁楚客在写给魏元忠的书简中陈述了时弊十失，其中包括：“崇长缁衣，使游走权

① 平濑已之吉：《官人支配と国家的土地所有》，社会构成史大系第2部71页。

门，借势纳赂，三失也……有司选进贤才，皆以货取势求，五失也。”前引《唐会要》卷74中还有如下事："神龙元年(705)，李峤、韦嗣立同居选部，多引用权势，求取声望。因请置员外官一千余员，由是侥幸者趋进”，可与袁楚客之文对比。《册府元龟》卷651《贡举部》“谬滥”条中记载：“贞元五年(789)礼部侍郎刘太真贬信州刺史。……其掌贡举，宰臣、姻族、方镇子弟，先收擢之。”据此不难看出，新官僚通过不法途径进入官场的情况。此外《大唐传载》中还有一则佚事也可以归入此列。张文贞公的女儿嫁入卢氏家后，曾拜托父亲为公公求取官职，张文贞公“活动”之后便取得了成功。可见随着六朝时代独占官位的门阀势力的后退，新兴官僚势力家族也在逐渐形成。

接下来要指出的是，唐王朝希望官僚尊奉儒教主义的家族仪礼，并对此予以强调。据太宗的定义，士大夫“爵位崇重，善事君父，忠孝可称”。当时的墓志铭中，屡见对官僚尊奉家礼与家法的称赞，这表明尊奉家礼并非是个人的行为，更是伴随其身份而附加的义务。需要特别注意的是，作为收族最为有力的手段，宗庙祭祀也依据官位加以限制，没有官位则不具有立庙的权利。

以上笔者叙述了唐代为抑制旧门阀的权威而采取的种种措施。王朝方面的决心确实给予了旧门阀很大的打击，但这些打击大都限于政治层面，长久以来形成的社会声望并不能一朝磨灭。以下将就这点稍作考察。

如前所述，唐初编纂《氏族志》，主要目的在于抑制旧门阀、尊崇新官僚。但据《新唐书》卷95《高俭传》，其编纂结果如下："先宗室，后外戚，退新门，进旧望，右膏粱，左寒畯。"最终仍以旧门阀崔氏为第一等，太宗大怒下令改修。值得注意的是第二次修订的《氏族志》中，将崔氏列于皇族、外戚之后为第三等。这里不过是将山东名族崔氏和陇西李氏调换了位置，并非在真正意义上否定了山东贵族（参照《通鉴》卷195）。

高宗以来的《氏族志》，确实逐渐向以官品为中心转化。但高宗时代的《姓录》颇为旧名族所不齿，"缙绅大夫，咸以为耻，议者号其书为勋柱"。《唐会要》注云："至贞元中（785—804），左司郎中柳芳论氏族、序四姓，则分甲乙丙丁，颁之四海。世族则先山东。"这依旧是在强调山东名族的崇高地位。以上均围绕《氏族志》来进行探讨，下面试从其他角度略作分析。《新唐书·高俭传》："王妃、主婿皆取当世勋贵名臣家，未尝尚山东旧族。后房玄龄、魏徵、李勣复与昏，故望不减。"《新唐书》卷106《李敬玄传》："（李敬玄）凡三娶皆山东旧族，又与赵李氏合谱，故台省要职多族属姻家。高宗知之，不能善也。"又同书卷111《李怀远传》中也记载李怀远在玄宗时仰慕山东郡姓而与之通婚。[①]据《太平广记》卷184记载，玄宗时的张说也是如此。《元氏长庆集》卷26《去杭州》一诗的原注为："近世（代宗前后）不以勋贤之胄为令族，而以岗卢泽李（崔、卢、郑、李诸氏）为甲门。"可见山东士族的社会声望，在唐中叶之后并没有灭绝，天子也不得不承认其社会地位，转而在其他方面寻求自己的优越性。《新唐书》卷172《杜中立传》即表现了这一现象："开成初，文宗欲以真源、临真二公主降士族，谓宰相曰：'民间修昏姻，不计官品而上阀阅。我家二百年天子，顾不及崔、卢耶？'"

---

① 译者注：《李怀远传》为《新唐书》卷116，"子彭年……常慕山东著姓，为婚姻，引就清列"。仰慕山东著姓并与之通婚的是李怀远子李彭年。

又据《新唐书·崔珙传》，晚唐咸通年间以降，崔氏一族中列于台阁藩镇的有数十人，天下推为士族之冠。至于五代的情况，可见于《旧五代史》卷93《李专美传》：

> 李专美，字翊商，京兆万年人也……专美之远祖本出姑臧大房，与清河小房崔氏、北祖第二房卢氏、昭国郑氏为四望族，皆不以才行相尚，不以轩冕为贵，虽布衣徒步，视公卿蔑如也。男女婚嫁，不杂他姓，欲聘其族，厚赠金帛始许焉。唐太宗曾降诏以戒其弊风，终莫能改。其间有未达者，必曰："姓崔、卢、李、郑了，余复何求耶！"……唯专美未尝以氏族形于口吻，见寒素士大夫，恒恂恂如也，人以此多之。

就史料可知，虽然没有官位但身负社会声望的名家依旧存在。还有一个侧面的例证，即在唐代小说中，作为主人公的贵公子大半出自崔、卢、李、郑，这表明旧名族确实是社会所憧憬的对象。

就此来看，唐代对山东名族的否定最终未能实现。

笔者以为未能实现的原因，在于唐代政策本身存在着矛盾之处。如前所述，《贞观氏族志》看上去像是对旧门阀进行了全面否定，但其实仅是将唐王室所属的陇西李氏置于旧门阀崔氏之上，并没有从根本上对门阀制本身进行否定。换言之，这仅仅是对比陇西李氏与旧门阀的门第高下，而完全没有否认自矜门第这种行为。而且据仁井田博士所介绍的贞观八年《氏族志》，唐在贞观八年五月十日壬辰设立禁约，天下郡姓“三百九十八姓”之间可以互相通婚，但不能与此外 2 100 个杂姓通婚。《玉海》所收《天下郡望姓氏族谱》中也记载：“记郡望出处，凡三百九十八姓，天宝中颁下，非谱裔相承者，不许昏姻。”仁井田博士推测“可能至于天宝年间，唐代内婚制的法令依然存在”①。这种内婚制可以视为是唐代自身施行的一种贵族制，这 398 姓中显然应该包括山东的旧门阀，那他们继续受到社会的尊崇也就是自然而然的了。

或许会有人质疑，即使《贞观氏族志》中还留有尊崇门阀之风，但高宗时编纂《姓录》以来，评价标准不

---

① 前引仁井田博士书同条。

是已经变为以官位为中心了吗？但是如《唐会要》所示，李义府热切希望可以借《姓录》的编纂提高自己家族的社会地位。简而言之，“编纂《氏族志》本身”就是对门阀制度的肯定。

这里还有一点需要注意，即唐初以来山东名族成为争论的对象，主要是因为他们与唐代官员之间的通婚关系。《新唐书·高俭传》中高宗显庆四年十月壬戌诏书规定：“后魏陇西李宝，太原王琼，荥阳郑温，范阳卢子迁、卢浑、卢辅，清河崔宗伯、崔元孙，前燕博陵崔懿，晋赵郡李楷，凡七姓十家，不得自为昏。仍定天下嫁女受财之数，毋得受陪门财。”[①]陪门财，据《通鉴》胡注，是指通婚时女方门第高而男方门第低时，由男方付出财产以补门望之不足。[②]那么这一禁令是否得以实行了呢？据《高俭传》，“然族望为时所尚，终不能禁，或载女窃送夫家，或女老不嫁，终不与异姓为婚。其衰宗

① 译者注：“仍定天下嫁女受财之数，毋得受陪门财”一句不见于《新唐书·高俭传》，应出自《资治通鉴》卷200“显庆四年”条。

② 译者注：胡三省原注为：“陪门财者，女家门望未高，而议姻之家非耦，令其纳财以陪门望。”

落谱，昭穆所不齿者，往往反自称禁婚家，益增厚价”①。而由官员提出的与山东旧门阀的通婚，也并非仅仅是官员一方的希望，可以想象旧门阀也需要这样的婚姻关系。如引文所示，这种通婚的需求在“衰宗落谱”，亦即没落的门阀之中是非常强烈的。随着科举制施行并成为官僚制度的基础，旧门阀在政治方面丧失了特权，陷入了“累叶陵迟”、“全无冠盖”的危险境地。失去了累世为官的途径，意味着他们也很快失去了积蓄资产的手段。对旧门阀而言，扩大通婚的范围，而不是局限于几个门阀之间，或许也可以成为一种新的积蓄方式。

通过上文的论述可以发现，唐代虽然看似否定了山东名族＝旧门阀，但事实上这一否定并不彻底。唐王室及唐代的官僚，纵然抑制了旧门阀，但自己却希望取而代之，成为新的门阀。换言之，不得不承认唐代是门阀制向官僚制转换的一个过渡时代。

因为处于这样的时代，唐中叶以后社会混乱，又出

① 译者注：此条同样不见于《新唐书·高俭传》，出自《资治通鉴》卷200“显庆四年”条。

现了趁此混乱之际粉饰家系的一股逆流。这种情况也见于太原王氏。《新唐书·高士廉传》中进一步明确指出了这点："至中叶，风教又薄，谱录都废，公靡常产之拘，士亡旧德之传，言李悉出陇西，言刘悉出彭城，悠悠世胙，讫无考按，冠冕皂隶，混为一区，可太息哉！"

可以认为唐代山东名族，至少在社会声望的层面并没有完全衰落。但是伴随安史之乱导致的社会秩序的混乱，家世这一观念(不仅限于旧六朝门阀之家)产生了动摇。在丧乱之际，家族离散，陷入悲惨命运的人不在少数。以下试举几例。刘禹锡在自传中写道："父讳绪，亦以儒学，天宝末应进士，遂及大乱，举族东迁，以违患难……"姚汝能在《安禄山事迹》卷下记载："衣冠士庶……家口亦多避地于江淮。"又有杜甫诗《无家别》："寂寞天宝后，园庐但蒿藜。我里百余家，世乱各东西。存者无消息，死者为尘泥。"《全唐文》卷428于邵《河南于氏家谱后序》："洎天宝末，幽寇叛乱，今三十七年。顷属中原失守，族类逃难。不南驰吴越，则北走沙朔，或转死沟壑。"伴随这样的社会动乱，兴起了系谱作伪的逆流，但是整体而言还是逐渐走向了人物及实力本位的时代。①《旧五代史》卷 67《卢程传》记载："卢程，唐朝右族。祖懿，父蕴，历仕通显。程，天复末登进士第……庄宗署为推官，寻改支使。程褊浅无他才，惟矜恃门地，口多是非，笃厚君子尤薄之……时以职列序迁，则程当为书记，汝弼亦左右之。程既失职，私怀愤惋，谓人曰：'主上不重人物，使田里儿居余上。'先是，庄宗尝于帐中召程草奏，程曰：'叨忝成名，不闲笔砚。'由是文翰之选，不及于程。"没有实力的旧门阀日渐衰落的形象清晰地浮现了出来。五代是中国的变革期，对旧门阀的衰落予以的打击，可能更甚于安史之乱。但笔者对这一问题的研究不够充分，先暂引宋郑樵《通志》卷 25《氏族略》序言中的内容，来说明此间史事："自隋唐而上官有簿状，家有谱系。官之选举必由于簿状，家之婚姻必由于谱系。历代并有图谱

① 前引宇都宫博士论文中，论及了唐代氏族谱编纂的沿革，指出唐代以地望编纂的氏族谱均成书于玄宗之前，其后仅有三篇韵谱。"以玄宗为中心的时代以前，门阀贵族依旧拥有相当的实力，国家权力无法无视门阀贵族的势力，故而官方编纂了卷帙浩繁的氏族谱，此后国家已经没有顾虑门阀贵族的必要，进而也没有了编写氏族谱的必要。其后时代的门阀贵族制度，虽然在形骸和余习之中还存在有根深蒂固的支配力量，但其实质已经渐趋崩坏。"论证门阀势力的消长缺乏恰当的史料，从氏族谱编纂次数这一角度进行分析，确实颇有新意。

局，置郎令史以掌之，仍用博通古今之儒知撰谱事。凡百官族姓之有家状者，则上之官为考定详实，藏于秘阁，副在左户。若私书有滥则纠之以官籍，官籍不及则稽之以私书。此近古之制，以绳天下，使贵有常尊，贱有等威者也。所以人尚谱系之学，家藏谱系之书。自五季以来取士不问家世，婚姻不问阀阅，故其书散佚而其学不传。”与五代相距不远的宋人之说，应该颇值得参考。①

---

① 本章虽然探讨了山东名族的基本情况，但没有对太原王氏予以详细论述。此处将附记两点针对太原王氏的相关问题。

第一，太原王氏在北魏时期，位于山东郡姓之首，虽然是唐初通婚限制的对象，但在唐初之后，渐渐有脱离代表性名族的趋势。如《唐国史补》中记载，在崔、卢、李、郑之外又加王氏为五姓，实为不经之论，《元氏长庆集》中将崔、卢、李、郑列为甲族，而未言及王氏。《旧五代史·李专美传》中四望族有京兆李氏、清河崔氏、昭国郑氏、范阳卢氏，而未有太原王氏。这些事实都说明太原王氏在六朝时代不得已经历了两次地域迁徙，从而失去了作为豪族的基础。

第二，笔者想列举目前收集到的太原王氏的通婚实例。其所据史料主要为正史列传、《金石萃编》、《八琼室金石补正》、《全唐文》及北京图书馆所藏墓志铭，不再一一注明出处。根据这些实例，可以得出以下结论。

(1) 如果是施行严格身份性内婚制的话，通过明确王氏以外崔、卢、李、郑诸氏的通婚关系，应该可以复原出唐代郡望三百九十八家姓中具体有哪些家族。

(2) 第一表是天宝以前，第二表是天宝以后的情况，列举两表中通婚关系较多的家族，可整理为下表。

就此可以看出，名族之间的相互通婚在天宝以后并未减少。（转下页）

（接上页）

| 婚家 | 天宝以前 | 天宝以后 |
| --- | --- | --- |
| 崔 | 7 | 4 |
| 李 | 6 | 7 |
| 张 | 5 | 6 |
| 刘 | 4 | 2 |
| 卢 | 3 | 2 |

〔第一表〕

| 王　氏 | 通婚对象的籍贯 | 通婚对象 | 王氏卒年 |
| --- | --- | --- | --- |
| 沈 | | 荀氏 | 晋 |
| | | 赵氏 | // |
| 讷 | 颍川 | 庾琮女 | // |
| 愔之 | | 谢月镜 | // |
| 浑 | | 钟氏 | // |
| | 琅邪 | 颜氏 | // |
| 湛 | | 郝普女 | // |
| 坦之 | | 范汪女 | // |
| 祎之 | | 司马氏 | // |
| 阿智 | | 孙绰女 | // |
| 荃 | | 谢万 | // |
| 慧龙 | | 崔氏 | 魏 |
| 宝兴叔母 | | 卢遐 | // |
| 宝兴 | | 卢氏 | // |
| 遵业之妹 | | 卢道亮 | // |
| 通 | 南阳 | 张氏 | 贞观 18 |
| 立 | 武威 | 成氏 | 显庆 2 |
| 王夫人 | | 宋氏 | //3 |

（接上页）

（续表）

| 王　氏 | 通婚对象的籍贯 | 通婚对象 | 王氏卒年 |
|---|---|---|---|
| 糜夫人 | | 李氏 | //4 |
| 力士 | | 远氏 | //8 |
| 敏 | | 元氏 | //6 |
| 罗 | 陇西 | 段氏 | 龙朔 2 |
| 敬 | | 郭氏 | //3 |
| 才夫人 | | 毛氏 | 麟德 1 |
| 宣 | | 张氏 | //2 |
| 延 | | 爨氏 | 乾封 1 |
| 道智 | | 刘氏 | //2 |
| 綦 | | 吉氏 | //2 |
| 和 | 陇西 | 李氏 | //2 |
| 赞 | | 姬氏 | 总章 1 |
| 德 | | 刘氏 | //2 |
| 令 | | 李氏 | //2 |
| 某 | | 和氏 | 咸亨 3 |
| 俭 | | 刘氏 | //4 |
| 留 | | 张氏 | //5 |
| 爱 | | 范氏 | 仪凤 1 |
| 师 | | 李氏 | 垂拱 3 |
| 岐 | 京兆 | 孙氏 | 文明 1 |
| 俱夷夫人 | | 杨氏 | 光宅 1 |
| 玄裕 | 南阳 | 张氏 | 天授 2 |
| 贞 | 安定 | 梁氏 | 长寿 2 |
| 思讷 | | 乙娄氏 | 天册万岁 2 |
| 庆祚 | 清河 | 崔氏 | 圣历 2 |
| 望之 | 清河 | 崔氏 | //2 |
| 天 | | 雍氏 | |
| 养 | 中山 | 成氏 | 长安 3 |
| 佺 | 颍川 | 陈氏 | 景龙 3 |

（接上页）

（续表）

| 王　氏 | 通婚对象的籍贯 | 通婚对象 | 王氏卒年 |
|---|---|---|---|
| 行果 | 中山 | 甄氏 | 景龙 3 |
| 齐丘 | 西河 | 蔺氏 | //3 |
| 景之 | 清河 | 崔氏 | //3 |
| 师 | | 杨氏 | 开元 3 |
| 子麟 | 长乐 | 冯氏 | //6 |
| 媛 | 博陵 | 崔氏 | //6 |
| 思齐 | 平原 | 张氏 | //15 |
| 某 | 彭城 | 刘氏 | //15 |
| 令 | 陇西 | 李氏 | //20 |
| 光谦 | 博陵 | 崔夫人 | //29 |
| | 陇西 | 李夫人 | |
| | 陇西 | 武夫人 | |
| 方大 | | 崔孝公 | //22 |

〔第二表〕

| 王　氏 | 籍　　贯 | 姓　氏 | 王 氏 卒 年 |
|---|---|---|---|
| 冷然 | 河东 | 裴氏 | 天宝 1 |
| 王夫人 | | 张敬己 | //2 |
| 训 | 会稽 | 朱氏 | //4 |
| 爽 | 东平 | 吕氏 | //4 |
| 处默十女 | | 朱氏 | //5 |
| 王夫人 | | 陈元钦 | //7 |
| 承祐 | 渤海 | 高氏 | //10 |
| 京夫人 | | 崔府君 | //12 |

（接上页）

(续表)

| 王　氏 | 籍　　贯 | 姓　氏 | 王氏卒年 |
|---|---|---|---|
| 崇术 | 北平 | 田氏 | 大历 10 |
| 景秀 | 钜鹿 | 魏氏 | //11 |
| 王夫人 | 南阳 | 张公 | 贞元 8 |
| 守琦 | | 张氏 | //12 |
| 永 | 南阳 | 张氏 | //17 |
| 大剑 | | 安氏 | 元和 4 |
| | | 曹氏 | |
| | | 卢氏 | |
| 叔雅 | 河东 | 薛氏 | //4 |
| 端 | 陇西 | 李氏 | //10 |
| 开 | 河南 | 胡氏 | //11 |
| 仲舒 | 渤海 | 李氏 | 长庆 3 |
| 仲舒女 | | 刘仁师 | 上以后 |
| 仲舒女 | | 李行修 | // |
| 元政 | 博陵 | 贾氏 | 长庆 3 |
| 实 | 扶风 | 马氏 | 上以后 |
| 祚 | 武威 | 贾氏 | // |
| 冕 | 博陵 | 崔氏 | // |
| 讲 | 荥阳 | 郑氏 | |
| 思旭 | 京兆 | 杜氏 | |
| 英 | 彭城 | 刘氏 | |
| 敬仲 | 濮阳 | 宇文氏 | 宝历 2 |
| 从政 | 河东 | 薛氏 | 开成 13 |
| 质 | 荥阳 | 郑氏 | 开成 1 |

(接上页)

(续表)

| 王　氏 | 籍　　贯 | 姓　氏 | 王氏卒年 |
|---|---|---|---|
| 方徹 | 陇西 | 李氏 | 会昌 1 |
| 王琎女 | | 陆氏 | 大中 12 |
| 王夫人 | | 马惟良 | //2 |
| 载 | 陇西 | 李氏 | |
| 纵 | | 石氏 | 咸通 3 |
| 遘 | 京兆 | 韦氏 | |
| 师正 | 河南 | 房氏 | |
| 师正之子 | 赵郡 | 李氏 | //5 |
| 仲建 | 清河 | 张氏 | //6 |
| | | 安氏 | //6 |
| 公晟 | 清河 | 张氏 | //11 |
| 晊之子 | | 魏氏 | 中和 2 |
| 成治 | | 柴氏 | |
| 成晏 | | 崔氏 | |
| 锴 | 陇西 | 李夫人 | 中和 1? |
| 王夫人 | | 韦氏 | 大历 13 |
| 凝 | | 郑氏 | 乾符 5 |
| 起之妹 | 范阳 | 卢氏 | 贞元时期 |
| 涯之女 | | 宝训 | 长庆时期 |

(3) 名族之间相互通婚较为显著的，主要集中于王氏四房中的本流，旁系的通婚范围相当广泛。

第八章

# 结　语

东汉末论客仲长统在《昌言》中指出："天下士有三俗，选士而论族姓阀阅，一俗……"王符在《潜夫论》卷1《论荣篇》中提及："人之善恶，不必世族。"《后汉书·文苑传》中赵壹在《刺世疾邪赋》中写道："法禁屈挠于势族，恩泽不逮于单门。"当时京师还流传一首歌谣，"欲得不能，光禄茂才"[①]，是道尽门阀弊端的民众心声。

这正是笔者研究的对象太原王氏——六朝门阀之一，在历史上逐渐兴起的时期。东汉末至六朝初期，这一家族开始以某种祖先传说来美化家世。门阀原本成立自累世官僚之家，这些家族依靠俸禄、赐予及当时豪族等的赠赂等而逐渐富裕起来，成为社会上众所公认的高门。西晋时期王济令人震惊的

---

① 《后汉书·黄琬传》。

奢侈生活，正是家族累世积聚的结果，西晋王济与东晋王坦之在通婚时的气派，也说明了社会对这一家族的高度认可。

需要注意的是，王济在挥霍财产方面表现得非常露骨，但不见他蓄积财富的记载。这可以理解为是当时社会不安所导致的刹那主义，对汉代的反动而产生的极端的个人意识，又或是人性自觉的表现。而另一方面也表现出，这些颇具教养的门阀对自己的子孙能够成为官僚有着非常的自信。不仅是王氏，两晋时代的门阀贵族自我实现的愿望非常强烈。为培养能够承受严厉品评的素养，他们用心于举措进退以及容貌风姿的细节。拥有尽可能多的完成自我实现的人，是整个家族的荣耀，也是家族中培养出更多官员的有利条件。原本官员离乡赴任的情况很多，族人很少在一起共同生活，又加之赴任官员经常定居于任官地，家族内部的联系是较为有限的。就这点而言，当时门阀贵族的现实生活是以个人为中心的，家族意识并不一定能够制约现实生活。

太原王氏的本宗，在西晋灭亡之初就及早南迁。这意味着放弃在华北地区的经济基础，事实上这一家族在东晋初期确实非常贫困。不过因为他们南渡较早，与南方新政权的关系非常紧密，相较晚来名族及东南土著豪族，具有一定的优越性。但与王朝紧密相联，主要依靠王朝的俸禄与赐予维持生活，可以想象在王朝覆灭时可能面临的危机。与东晋王朝紧密相联的这一家族，在宋兴起时陷入灭族的危机，仅有出身暧昧的王慧龙维系血脉。随着王慧龙前往北魏，王氏活动的舞台再次转移到华北。

北魏以前，中国各地都实行过名族评定，但并没有确定的标准。进入北魏，开始由王朝来分定氏族：三世三公为膏粱，有令仆者为华腴，此外再规定甲、乙、丙、丁诸姓。崔、卢、郑、王诸名族这样代代占据政治上的优越地位，当然应该属于以上的范畴。从这一制度中可以看出，北魏意在谋求政治地位和社会地位的统一。北魏没有否认世所公认的名族的地位，而是将旧名族编入了新王朝的机构之中。但在旧有的社会评价之上加以国家意志的这一事实，可以理解为是最终到来的官僚制对门阀制胜利的前兆。

太原王氏的谱系图在北魏前后发生了很大的变

化。特征之一是王氏本宗在系图上急剧扩大，特征之二是旁系显著崛起。系图的扩大到底所指为何呢？初看或许会认为是王氏加强了族内的联结，但是笔者却认为未必如此。王氏的本宗与旁系之间似乎并没有特别的交流。连本宗（四房）之中，各房也相对独立，甚至有时意识不到与他房的亲缘关系。那么可以认为，北魏以来系谱的扩大并不意味着家族内联系的增强，而是由于出现于系谱的这些人，大都为著名的官僚，故而有记载留存。（反而是谱系图上未出现的人，可能作为地方豪族依然保持着家族内部的联系。）若是如此，可以认为太原王氏家族的势力在北魏以来至隋唐时代，并没有走上强大化的道路，反而举族向顺应官僚制度的方向发展。

旧门阀的各个家族顺应官僚制度的速度，都多少有所不同。相较其他门阀而言，太原王氏的转换是较快的。关于这点，以四房王氏为首，兼及旁系，已经逐一进行过确认。

接下来将对太原王氏诸系统的存续时间稍作了解。为避免复杂的说明，请参见下表。

| 家系 | 可以溯及的上限 | 其人所处时代 | 这一家系的末端 | 末端人物的生活年代或卒年 | 这一家系的持续时间 |
|---|---|---|---|---|---|
| 大房 | 王遵业 | 530 前后 | 王齐丘 | 709 | 约 179 年 |
| | | | 王镳 | 878 以后 | 348 年以上 |
| | | | 王溥 | 900 前后 | 约 370 年 |
| | | | 王正雅 | 806 以后 | 约 276 年 |
| | | | 王望之 | 698 | 约 168 年 |
| 二房 | 王广业 | 530 前后 | 王方大 | 734 | 约 204 年 |
| 三房 | 王延业或王季和 | | 王播 | 831 | 约 301 年 |
| 或 | | | | | |
| 四房 | | | 王铎 | 884 以后 | 354 年以上 |
| | | | 王权 | 942 | 约 412 年 |
| 河东 | 王卓 | 330 前后 | 王维 | 759 | 约 429 年 |
| | | | 王缙 | 763 以后 | 433 年以上 |
| 乌丸 | 南朝宋前后 | 320 前后 | 王师正之孙 | 864 以后 | 544 年以上 |
| | | | 王仁皎之子 | 710 以后 | 390 年以上 |
| | | | 王仁忠之子 | 713 以后 | 393 年以上 |
| | | | 王孟坚 | 823 | 约 503 年 |
| 文中子 | 南朝宋齐之交 | 479 前后 | 王景之之子 | 683 以后 | 214 年以上 |
| | | | 王勃 | 697 | 约 220 年 |
| | | | 王质之子 | 836 以后 | 367 年以上 |
| 中山 | 王桥 | 450 前后 | 王晙 | 750 前后 | 约 300 年 |
| | | | 韦夫人 | 778 | 约 328 年 |

如上所示，大房、二房、三房、四房，其系谱可以追溯至东汉末期(2 世纪中叶)，[①]简单估算可知，大房存续了 750 年，二房 580 年，三、四房 780 年。那么王氏东汉至唐中叶的系谱，基本可以完整地复原出来。但探求唐末至五代、宋的系谱却非常困难。根据后世的碑文或家谱可以找到一些蛛丝马迹，但将据正史列传复原的太原王氏系谱与唐末以后的部分接续起来，几乎是不可能的。那么原因究竟何在呢？一言以蔽之，是门阀制度崩坏的结果。在以门第选拔人才的时代，关于谱牒的资料众多，因此《宰相世系表》的原始材料非常之多。而随着官僚制的成熟，取士不问阀阅，谱牒类的著作急剧减少。不仅如此，在重视门阀的时代，累世官僚非常常见，但及至唐末五代，旧门阀之中也不能保证代代都有可以载入史籍的高官。这样，继续编纂谱牒也逐渐变得不再可能。就这一意义而言，像太原王氏这样留下了完整的系谱，正反映了当时门阀盛行的情况。

接下来将探讨作为门阀的太原王氏，是在怎样的范

① 太原王氏的上限王柔、王泽的生卒年代不明，但与其同时代的郭林宗生于 128 年(永建三年)，卒于 169 年(建宁二年)，据此可以作出大致的推测。

围内进行家族内部联合的。首先来看这一家族中同居者的范围。晋王坦之成年后依旧被父亲抱在膝上，唐王珪的儿媳南平公主被要求行事舅姑之礼，就这些例子可以推断，父辈夫妇、子辈夫妇至于孙辈，在一起居住是较为常见的。前章中提及的《梦游录》中，有长安落第生卢生拜访姑母，虽然是突然来访，姑母的儿子四人却全部前来迎接。四人身居高位，应当均已成婚。从全体出门迎客这点来看，这一家族应该是三代同居的生活状态。虽然这只是一篇小说，但还是可以据此推断当时一般士人的生活情况。《太平广记》所收《古镜记》中的王度与王勣也长年生活在一起。《古今图书集成》卷280《氏族典》王姓部中引用《续文献通考》："隋时有王氏，家富财帛，埒于王侯，有子五人各立一院，栋宇崇显，邑里号五堂王家。"如果这五个人是在一个围墙内设立五堂的话，那与《梦游录》中的故事便是同一种形态。仁井田博士对唐代户籍中的家族构成进行过考察，他分析天宝六载户籍认为："这一表中的数字仅是表明婚姻以外的人是如何被大量纳入家族之中的。不包括）有配偶者的兄弟、侄、侄孙或姐妹之类旁系血亲的家族很少，仅统计户主的旁系血亲及其配偶者就占据了全家口数的约三分之一。”他进一步研究麟德元年怀州周村十八家造像塔记后指出，“……有配偶、有子孙者与父祖为一家，祖与孙、曾祖与曾孙为一家的事例很多，一家之中孙、曾孙及子的配偶数量众多的情况非常明显，占到十八家全口数的将近一半，而且十八家中并无例外，均为大家族”①。这样看来在官僚家族中，如王坦之、王珪这样父子孙三代同居的情况是非常常见的。

今掘博士曾指出“毫无疑问，士人之家较之庶人之家而言，更倾向于大家族主义”②。仁井田博士也指出，“如果以唐宋时期一家口数标准来看，十口便算是口数较多，但士人之家的口数通常又在此之上”③。关于笔者所研究的太原王氏之家的口数，非常遗憾并没有找到具体的例证，但可以想象，其家族应该拥有相当数量的人口。以下这些史料都可以作为推断官僚家族口数的线索。

《颜氏家训·止足篇》：“常以为二十口家，奴婢盛

---

① 《支那身分法史》第 2 节，第 253 页下。

② 《唐代氏族の性格素描》，《歴史学研究》9(12)。

③ 《支那身分法史》第 2 节，第 337 页。

多，不可出二十人。”

《桂苑笔耕集》卷18《前湖南观察巡官裴璙》：“孤孀三十余口，更无产业，未卜定居。”

《樊川文集》卷16《上宰相求杭州启》：“某一院家累，亦四十口。”

《通鉴》卷260“乾宁二年正月”条：“（董昌）并杀其（黄碣）家八十口……”

关于家族同居的问题，还可以联想到汉六朝以来，经常用“百口”形容官僚之家，虽然略显繁琐，但此处还是列举几例。

《后汉书·赵岐传》：“岐……自匿姓名，卖饼北海市中。时安丘孙嵩年二十余，游市见岐，察非常人，停车呼与共载。岐惧失色，嵩……问岐曰：‘……不有重怨，即亡命乎？我北海孙宾石，阖门百口，势能相济。’岐素闻嵩名，即以实告之，遂以俱归。”

《晋书·周顗传》：“初，敦之举兵也……司空（王）导率群从诣阙请罪，值顗将入，导呼顗谓曰：‘伯仁，以百口累卿！’”

《魏书·杨椿传》：“时人……或有劝椿携家避祸。椿曰：‘吾内外百口，何处逃窜？正当坐任运耳。’”

《颜氏家训·序致篇》："年始九岁，便丁荼蓼，家涂离散，百口索然。"

进入唐代，有《幽忧子集》卷 7《寄裴舍人诸公遗衣药直书》："余家咸亨中良贱百口，自丁家难，私门弟妹凋丧，七八年间，货用都尽。"

《柳先生集》卷 35《谢李中丞启安抚崔简》："崔简……得罪之日，百口嗷然叫号，羸顿不知所赴。"

《颜鲁公文集》卷 7《朝议大夫赠梁州都督上柱国徐府君神道碑》："吾不以一身易百口。"

《高常侍集》卷 2《涟上题樊氏水亭》："煮盐沧海曲，种稻长淮边。四时常晏如，百口无饥年。"

《刘随州诗集》卷 1《月下呈章秀才》："向老三年谪，当秋百感多。家贫惟好月，空愧子猷过。愁百口多[①]……"

同书卷 2《过裴舍人故居》："惨惨天寒独掩扃，纷纷黄叶满空庭。孤坟何处依山木，百口无家学水萍。"

《韩昌黎集》卷 1《此日足可惜赠张籍》："行行二月暮，乃及徐南疆。下马步堤岸，上船拜吾兄。谁云经

---

① 译者注：《文苑英华》与《全唐诗》中均不见"愁百口多"句，《文苑英华》卷 252 此诗"当秋百感多"作"无愁百口多……"

艰难，百口无夭殇。”

《元氏长庆集》卷21《酬乐天闻李尚书拜相以诗见贺》：“百口共经三峡水……”

《樊川文集》卷16《上刑部崔尚书状》：“病弟孀妹，百口之家，经营衣食，复有一州赋讼。私以贫苦焦虑……”

《桂苑笔耕集》卷12《昭义成璘》：“百口孤孀，何忍见含愁之色。”

两《唐书》中应该也有许多关于“百口”的史料，但由于笔者检索不足，以下试举散见于《通鉴》中的几例。

卷235“贞元十六年五月”条记载李藩即将被杀时，杜佑曾予以挽救，“佑曰：‘君慎勿出口，吾已密论，用百口保君矣。’”

卷228“建中四年夏四月甲辰”条记载朱泚叛乱，将李晟在长安的家属作为人质，“晟家百口及神策军士家属皆在长安，朱泚善遇之。”①

卷249“大中十年六月戊寅”条记载有一术士指出

① 译者注：此事记载于《资治通鉴》卷230，德宗兴元元年(784)四月甲辰。

司农卿韦廑有异志，“廑举家拜泣曰：‘愿山人赐百口之命！’”

卷260“乾宁三年五月癸未”条记载常熟镇使陆郢与杨行密叛乱，虏苏州刺史成及而免其死，当时成及所言如下：“‘及百口在钱公所，失苏州不能死，敢求富贵！愿以一身易百口之死！’引佩刀欲自刺。”

据《旧唐书·王彦威传》：“臣自计司按见管钱谷文簿，皆量入以为出，使经费必足，无所刻削。且百口之家，犹有岁蓄……”虽然没有太原王氏自称百口的实例，但王彦威出身于相传与太原王氏祖先相同的琅琊王氏，据其所称百口推测，太原王氏或许也如此自称。

此处所见的“百口”这一概念，胡三省解释为“人谓其家之亲属为百口”（《资治通鉴》“贞元十六年五月”条）。陶希圣则以此为大地主的大家族制，是封建时代的氏族制之后，扩大的家长本位制度。[①]汉六朝以来的官僚与富豪周围，应该聚集有大量的族人。南朝王懿对王愉的依附，唐代王氏十一族和王沐对王涯的依附等均在此列。正是在这种情况下，才有“百口”这样大

---

① 陶希圣：《婚姻与家族》。天野元之助氏日译《支那における婚姻と家族史》，第104页。

集团的形成。既有《后汉书 · 赵岐传》中一门百口同居的状态，也有《魏书 · 杨椿传》中内外共百口的情形，并不能一概认为是对居住关系的描述。但无论如何，百口的家族中，主人权力强且责任重，族人聚集在一起，并非是基于纯粹的亲缘意识、以宗家为中心的结合，而是以一个有权势的人为中心、以利害关系为基础的结合。因此，这种结合相较于亲族协同体的亲睦意识，主人及隶属者的关系更为明显。王沐为请托王涯而进京，月余才得一见，正是说明这一问题的绝佳例证。

另外，百口是否全部为家族成员也尚存疑问。一般而言，即使聚集相当范围的族人，达到百口也并非易事。笔者认为这百口之中应该还包括拟制血亲。陶希圣对此曾有卓见："家口之中，除家族外还包容奴隶衣食客等。"前文《古镜记》中，王勣手下小吏家中有良贱数十口，《幽忧子集》卷 7 中也提到了良贱百口，这些都可资为证。①

---

① 在考虑门阀的时候，宗族、宾客、奴婢之外，还需要考虑门生故吏这样的外围势力。其实例可见于王慧龙。参考鞠靖远《两晋南北朝的客、门生、故吏、义附、部曲》，《食货》2(12)。

这样在官僚或者富豪周围，以依附形式聚集了大量的宗族成员及拟制血亲。与此相反，如果同族之中出现了两名以上位高权重的官僚，即使二者之间有作为同族的意识，在现实中联结在一起的情况也很少。西晋王佑弹劾族弟王济，东晋王恭弹劾同族王国宝等例，都说明官僚具有强烈的个人意识。因此，笔者认为通常被称为门阀的家族，与强势的家长本位的家族结合相比较，以宗家为中心的大范围的宗族结合基本是不可能的。

笔者在论述之初，即指出门阀是累世官僚的家族，与豪族、大姓并不相同。因此上文关于门阀内部宗族结合的结论，也并不适用于地方大姓豪族之家。毋宁可以认为，与官僚化的门阀相反，地方豪族反而在宗族聚居方面非常积极，有时还会特意进行收族。王济的子孙河东王氏，家族中很长一段时间内都无人任官，以致脱离了门阀的范畴。他们定居于河东，于正月七日集合宗族举行祭祀。又如隋末的文中子王通兄弟，脱离仕途而成了河东地区的小豪族，兄弟聚居，共同举行冠婚丧葬（其中仅有王凝一人行事乖张，不参与乡族的冠婚之礼，但反而可以从中推测，家族成员通常都是参与这种集会的)。《通典》卷3《食货志》引《关东风俗传》①(北齐宋孝王撰),列举了地方豪族聚居之例:“昔六国之亡,豪族处处而有,秦氏失驭,竞起为乱。及汉高徙诸大姓齐、田、楚、景之辈以实关中,盖所以强本弱末之计也。文宣之代,政令严猛,羊、毕诸豪,颇被徙逐。至若瀛、冀诸刘,清河张、宋,并州王氏,濮阳侯族,诸如此辈,一宗近将万室,烟火连接,比屋而居。”在中央官僚组织中占据特权的门阀贵族,可以通过任官来积累财富,但是地方豪族没有这一途径,因此需要宗族聚居、互相救济,又需要集家族全体之力而在地方获得权力,侵占土地和人民。活跃在官场的门阀,和定居在地方的豪族,在土地所有形态和经营方式上并没有根本的区别,但是他们家族生活的方式却有着如上不同。

前文在追溯王氏系谱的同时,探讨了这一家族与国家、社会的关系,以此来观察门阀制度的兴衰。但毕竟

① 章宗源《隋书经籍志考证》卷3中记载:“《关东风俗传》六十三卷……《北齐书·循吏传》宋世良从子孝王求入文林馆不遂,因非毁朝士,撰《朝士别录》二十卷,会齐平,改为《关东风俗传》。更广见闻,勒成三十卷上之,言多妄谬,篇第冗杂,无著述体。”

只是对一个家族的研究，以此了解的种种情况，是否能够视为普遍的现象，尚且不能轻易断定。本章中总结出的结论是否妥当，还是要在日后对王氏之外其他家族的研究中，再进行检核与判断。准确把握门阀制到官僚制的转变，对五代和宋代的研究有着非常重要的意义，但是我的研究还尚未涉及这一部分。就这一意义而言，太原王氏的研究或许仅仅是绘制出了谱系图。但这只是我研究的开端，在进行其他门阀的研究之前，期待前辈诸君的批判与指教。

［昭和 20 年（1945）5 月 23 日初稿，昭和 24 年（1950）8 月 4 日改稿，昭和 25 年（1951）12 月 14 日脱稿。］

**（附记）** 本研究受到昭和 23 年（1949）、24 年（1950）、25 年（1951）文部省科学研究费资助，是“关于中国家族变迁的基础研究”的报告书。